プロローグ

ゼウスの子であるアポロンは、
とある国の王女であるコロニスと愛し合うようになった。
ある日、コロニスがアポロンに聞いた。
「もし私が、ほかの男を愛したらどうする?」
アポロンは答えた。
「僕は、弓《ゆみ》矢《や》の名手だよ。この矢を射《う》って、
キミと、その男を結びつけている赤い糸を、
断《た》ち切《き》ってみせるさ」
その数日後、アポロンの手下《てした》であるカラスが、
コロニスが他の男と密会《みっかい》していることを、アポロンに伝えた。
アポロンは、遠く離れた場所から、銀色の矢を放った。
その矢は、すごい速度で飛んでゆき、
正確にコロニスの胸《むね》を射抜《いぬ》いた。

犯人は、貴女だ！
カツラじゃない？
に意外な結末
なんで、戦争なんかやってんだ！なんで核兵器なんて使ってんだ!!
お嬢さんと結婚させてください！
Gakken

「5分後に意外な結末」シリーズ

5秒後

アポロンの黄色い太陽

桃戸ハル 編著
usi 絵

アポロンがコロニスのもとに駆《か》けつけると、
コロニスは言った。
「…どうして？　あなたの矢で、
赤い糸を断《た》ち切《き》るんじゃなかったの？」
そして、彼女は息を引き取った。
アポロンは、獣《けもの》のように咆哮《ほうこう》し、泣《な》き叫《さけ》んだ。
「太陽が！　太陽がまぶしくて!!」
アポロンは、自分自身が思うほどには、
弓《ゆみ》の腕《うで》が立《た》つわけではない、
自信過剰《じしんかじょう》な男であった。

目次

contents

ブックデザイン：Ｓｉｕｎ
編集協力：高木直子、原郷真里子、蔵間サキ

＊本書の制作にあたっては、神話、落語、
古今東西のジョーク・小咄、ギャグ、
コント、名言、またその手法、
都市伝説・ネットロア、
人物エピソードなどを
参考にさせていただきました。

神話や落語の中には、
元々のオチを生かしたものもあれば、
オチを創作しているものもあります。

第1話

明日なき暴《ぼう》走《そう》

今年15歳になるその少年は、
社会に対して怒《いか》っていた。
その怒りを表現するように、
真っ昼間から酒を飲み、タバコを吸《す》った。
しかし、誰も少年に注意などしない。
少年は、そのことに抗《こう》議《ぎ》するように、
盗《ぬす》んだバイクで夜の街を暴《ぼう》走《そう》し、
学校の校《こう》舎《しゃ》の窓を、
金属バットで粉々《こなごな》にたたき割《わ》った。
「誰か、俺を止めてくれ！　俺に注意してくれ！」
少年は泣いていた。

少年は、またバイクにまたがり、
号泣《ごうきゅう》しながら爆音《ばくおん》をまき散らした。
しかし、そのことをとがめる者など、
もう地球上には誰もいなかった。
少年は、ひとりぼっちだった。
少年は、ふたたび社会に怒りを向けた。
「なんで戦争なんかしたんだよ！
なんで人類を滅《ほろ》ぼすような兵器を
使ったんだよ！
俺を一人にしないでくれよ!!」
少年の乗ったバイクがまき散らす轟音《ごうおん》は、
そこに自分がいることを誰かに教えるための、
悲痛《ひつう》な叫《さけ》び声《ごえ》のようでもあった。

第2話 蝋《ろう》人《にん》形《ぎょう》館《かん》殺人事件

古い洋館に招かれた10人の客は、皆《みな》、驚《おどろ》いた。
食堂に、自分たちと細部までそっくりな
等身大の蝋人形《ろうにんぎょう》が飾《かざ》られていたからである。
翌朝、その蝋人形のうち、
若い男性のものの首が転がり落ちていた。
彼自身は、今、食堂にはいない。
嫌《いや》な予感がして、
皆が彼の部屋に駆《か》けつけてみると、
そこには、首が切断《せつだん》された男性の死体。
それが、毎夜起こる連続殺人事件の幕開《まくあ》けだった。
5日目の晩《ばん》、一人の招待客《しょうたいきゃく》が、
自分は探偵《たんてい》であると名乗り、
そして、一人の女性を指さして言った。
「犯人は、貴女《あなた》だ！」

探偵に、犯人と名指しされた女性の部屋からは、巧妙《こうみょう》に隠《かく》された凶器《きょうき》のナイフが発見され、また、パソコンのシークレットファイルからは、今回の犯行の計画書が見つかった。

すべてが暴《あば》かれた犯人の女性は、ワナワナと身体《からだ》を震《ふる》わせながら言った。

「なぜ、私が犯人だと気づいたの！ 完璧《かんぺき》なトリックだったのに!!」

探偵は、やや気まずそうに言った。

「ここにいる皆《みな》、貴女《あなた》が犯人だということに気づいていたと思いますよ。あれを見たときからね」

探偵が指さしたのは、犯人を模《も》した蝋人形《ろうにんぎょう》であった。

「あの蝋人形を作ったのは犯人でしょう。ほかの全員、実際とそっくりに作られているのに、あなたの蝋人形だけは……実物よりも、蝋人形のほうが、はるかに美しくできている！ 貴女は、盛《も》りすぎた。いや自分自身が見えていなかった!!」

第3話

美女と野獣《やじゅう》

その国の王子は、野獣《やじゅう》のような姿《すがた》をしていた。
彼は、魔女に呪《のろ》いをかけられ、
姿を変えられていたのである。
ある日、彼は、舞踏会《ぶとうかい》で出会った
他国の王女に一目ぼれした。
王女のほうも——王子の見た目は怖《おそ》ろしかったが、
彼の心の純粋《じゅんすい》さを知り、少しずつひかれていった。
王子は言った。
「私と結婚してください。
もし、それを受け入れてもらえるなら、
私に口づけをしてもらえないでしょうか。
愛する人からの口づけで、
呪いも解けるのです」
王女は、小さくうなづき、王子に口づけした。

あなたの口づけで、
私にかけられている
呪いは解けるのです

王女は、王子の姿《すがた》が怖《こわ》かったが、
それで、呪《のろ》いが解け、
王子が元の姿に戻るなら、
と、勇気を出して口づけを交わした。
その瞬間《しゅんかん》、まばゆい光が王子を包《つつ》んだ。
そして、数分後、
王子を包んでいた光は消え、
そこには、呪いが解かれ、
元の姿に戻った王子がいた。
王子の呪いは解かれた。
彼は、もともと、
体毛がうすい体質であったが、
魔女《まじょ》の「毛が伸《の》びる呪い」によって、
全身、毛に覆《おお》われていたのである。

第4話

宇宙人の乗り物

東京の上空を無数の円盤《えんばん》が埋《う》め尽《つ》くした。
「あれは、宇宙人の乗り物で、中には、
高度な科学力をもつ宇宙人が乗っているのだろう。
そんな宇宙人に攻撃《こうげき》されたら、
この東京は、あっという間に廃墟《はいきょ》と化《か》すに違いない」
そんなことを想像し、人々は、おびえ、震《ふる》えた。

それから、10年後——
東京も、地球のどの都市も、
破壊《はかい》されることも、廃墟《はいきょ》と化《か》すこともなく、
宇宙人が来る前と同じ姿《すがた》で残っていた。
地球に押《お》し寄《よ》せた、宇宙人の乗り物である円盤《えんばん》も、
すぐに宇宙の彼方《かなた》に去っていった。

そして今、人類は、
襲来《しゅうらい》してきた宇宙人の、
新しい乗り物になっている。

第5話
巨人《きょじん》への進撃《しんげき》

ある日、俺の村は、突然現れた巨人に
踏《ふ》みつぶされ、蹂躙《じゅうりん》された。
その日、俺は一人、山の中で剣《けん》の修業をしていたため、
難《なん》を逃《のが》れることができたが、
壊滅《かいめつ》した村を見て、俺の怒《いか》りは頂点に達した。
その怒《いか》りを抑《おさ》えるため、叫《さけ》びながら剣《けん》を振《ふ》り回《まわ》し、
木々の枝をなぎはらい、ようやく俺は冷静さを取《と》り戻《もど》した。
そして、冷静になった俺は、
背中に3次元飛行装置《ひこうそうち》を取りつけ、巨人をにらんだ。
この装置さえあれば、どんなに大きな巨人であろうと、
顔の高さまで舞《ま》い上《あ》がり、
脳天《のうてん》に、この大剣を突《つ》き刺《さ》すことができる。
俺は、巨人に向かって走った。
それは、高く飛ぶための怒りの助走だった。

そして、まさに地面を強く蹴《け》り、
高く跳躍《ちょうやく》しようとする瞬間《しゅんかん》、
顔面に強烈《きょうれつ》な痛みを感じた。ハチだ。
ハチの大群《たいぐん》が、しつように俺の顔面に針《はり》を刺《さ》し続け、
たまらず俺は、地面に倒《たお》れこんだ。
顔がやけどをしたように熱い。
手で触《さわ》ると、自分の顔が
ボコボコに腫《は》れているのがわかる。
のたうち回りながら、目に入ったのは、
ボロボロに崩《くず》れた、茶色く大きな丸い物体。
——あぁ、これは、ハチの巣《す》だ。
そういえば、さっき怒《いか》りにまかせて剣を振《ふ》ったとき、
ハチの巣を枝からなぎはらい、地面に落ちた巣を、
怒りにまかせて踏《ふ》みつぶした気がする。
——そうか、俺も、巨人《きょじん》だったんだ。

第6話
取り調べ

殺人事件の容疑者《ようぎしゃ》がつかまり、取り調べ室では、刑事と容疑者の2人が、やりとりをしていた。

容疑「いいかげん、本当のことを言ったらどうなんだ?」

刑事「本当のことって何だ?」

容疑「犯人は、おまえだ!」

刑事「証拠《しょうこ》でもあるのか?」

容疑「ある。事件の一部始終《いちぶしじゅう》を、オレが見ていた」

刑事「そうか、オレは、運が悪かったんだな」

刑事がニヤリと笑った。

「自分は運が悪かった」と思った刑事であったが、考え直し、そして、ニヤリと笑った。
——むしろ、自分は運がよかったかもしれない。
誰かに犯行を見られていたと感じていたが、
それが、この誤認逮捕《ごにんたいほ》された男だったとは…。
自分で目撃者《もくげきしゃ》を探し、始末《しまつ》しなくてはいけない、
と考えていたが、その手間が省《はぶ》けた。
あとは、この誰も見ていない、
「密室《みっしつ》」とも言うべき取り調べ室で、
容疑者が襲《おそ》いかかってきた、とでも理由をつけて、
コイツを始末するだけだ。
コイツは手錠《てじょう》をかけられているし、簡単なことだ。
そんな刑事の考えなど知らず、
容疑者は、まだ、「犯人はお前だ！」などと
叫《さけ》び続けている。

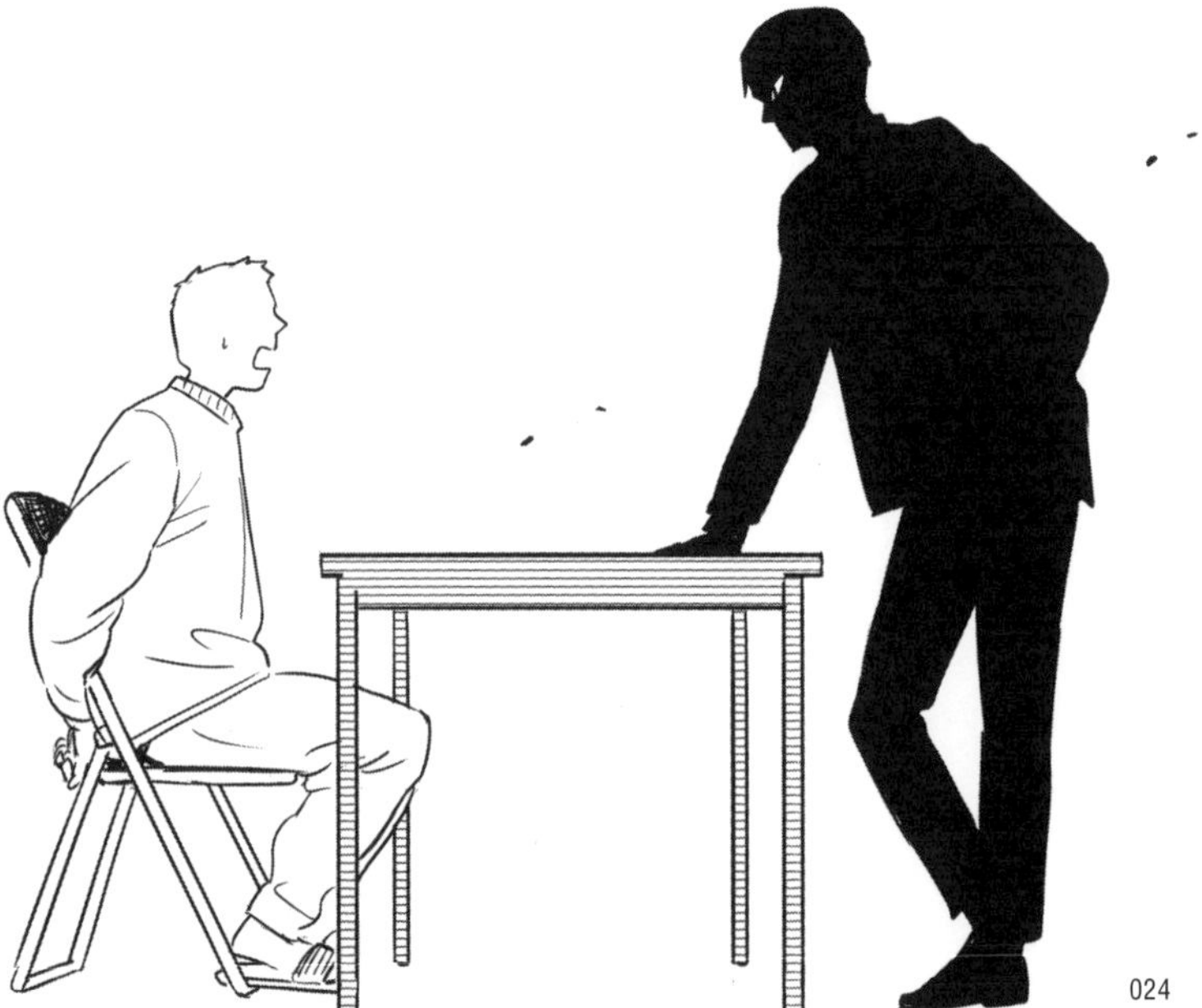

第7話

行列のできるコンビニ店

私の職業はライフハッカー。
「仕事や暮らしのアイデア」を教える、
アドバイザーのような仕事である。
今日のクライアントは、
コンビニ店の店長である。
お客が入らないコンビニ店に、
どうすればお客が増えるかを相談にきたという。
私は、店舗《てんぽ》へ赴《おもむ》き、瞬時《しゅんじ》に問題点を見抜いた。
そして、店長に言った。
「3日間、私にこの店を任せていただけませんか?」
店長は、快《こころよ》く了解してくれた。
——3日後、店長は驚《おどろ》いた。
コンビニに、外まではみ出すくらいに、
レジ待ちの行列ができていたのである。

店長が、店内に入ってみると、
さらに驚《おど》く光景が広がっていた。
列に並ぶお客が皆《みな》、
怒《いか》りの表情を浮かべているのである。
店長は、レジ業務にいそしむ
ライフハッカーに、説明を求めた。
ライフハッカーは、泣きそうな声で言った。
「いや、実際に業務を体験してみないと、
と思ってレジ打ちをやってみたんですがね、
私の手際《てぎわ》が悪くて、こんなにもお客さんを
待たせてしまっている、
というしだいでして…」

第8話

上司の教え

青年が就職《しゅうしょく》した会社は、国際社会の中で、
常《つね》に厳《きび》しい競争《きょうそう》を強《し》いられるような、
国内有数の大企業であった。
そんな企業の中では、社員たちは忙《いそが》しく、
誰も悠長《ゆうちょう》に仕事を教えてくれない。
社員たちには、自ら仕事を作り出す、
高い意識が要求された。
青年も、新入社員の頃から、
よく直属の上司に叱責《しっせき》された。
「なにのんびりしているんだ！　仕事は自分で見つけろ！
探しても仕事がないなら、自分で仕事を作り出せ‼」
結局、青年には、そのような厳《きび》しい世界は合わず、
5年ほどで、その企業を辞《や》め、
試験を受け、地方公務員に転職した。

転職してから20年以上経《た》った今でも、

青年――今では、すっかり中年になった男は、

かつての上司の言葉を思い出す。

――仕事がないなら、自分で作り出せ！

男は、転職後、数年の間こそ、

仕事がなくのんびりとした状態に満足していたが、

しだいに、あの頃の緊張感《きんちょうかん》を求めるようになった。

そうだ、仕事がないなら、自分で作り出せばいいんだ。

――殺人事件がないなら、自分で事件を起こせばいい！

ぬるま湯につかったこの国には、殺人事件は、

適度《てきど》な緊張感を与える社会のカンフル剤《ざい》になる。

地方公務員――警察官になった自分は、

捜査《そうさ》の最前線《さいぜんせん》にいる。

証拠《しょうこ》を捏造《ねつぞう》するのはお手のものだ。

いざとなれば、またあのときのように、

正当防衛《せいとうぼうえい》で、容疑者《ようぎしゃ》を亡《な》き者《もの》にすればいいだけだ。

第9話
衝撃《しょうげき》の1枚

一人の子どもが、
雪崩《なだれ》に巻《ま》き込《こ》まれた。
雪に埋《う》もれた息子を探し出そうと、
父親が死にものぐるいで雪をかきわけ、
そして、息子を救出《きゅうしゅつ》した。
そのシーンをとらえた画像が、
SNSで拡散《かくさん》され、世界中で、
多くの人が感動の涙を流した。

しかし、数日後に拡散《かくさん》された、
同じ事件を写した画像によって、
多くの人々の表情は、
「感動の笑顔」から、
「軽蔑《けいべつ》の冷笑《れいしょう》」に変わった。

その画像には、
多くのコメントが寄せられた。
「撮影する余裕があるなら、
助けるのを手伝えよ！」

第10話

美しい娘《むすめ》

私は、湖《みずうみ》のほとりの小さな村で生まれた。
生まれたときから、私は、
他の皆《みな》にはない美しさを持っていた。
「将来、この子は、
どれだけ美しい姿《すがた》になるのだろう」
周囲から、そう言われて育った。
しかし、月日が経《た》ち、皆が美しく成長する中、
私は、むしろ凡庸《ぼんよう》で、
貧相《ひんそう》といえる姿になっていった。
そして、皆が村を出て、
知らない世界に飛び立っていく中、
私だけが、この小さな村から
羽ばたくことができなかった。

ある日、私は、同じ湖《みずうみ》のほとりの村で、

不思議な光景を見た。

家族と思えるアヒルの群《む》れの中に、

1羽だけ、自分と同じ白鳥が混《ま》じっていたのである。

その白鳥は、地上にアヒルたちを残し、

高く羽ばたき、そして、どこかに飛び立っていった。

――私は、直感的に気づいてしまった。

私たちは、卵《たまご》から生まれたとき、

最初に見たものを親だと思ってしまう。

だから、私は自分のことを白鳥だと思っていた。

しかし、私は、アヒルなのではないだろうか。

どういう理由でかはわからないが、

――人間の子どものイタズラかもしれないが、

アヒルの卵と白鳥の卵が入《い》れ替《か》わっていたとしたら?

――あの白鳥は、どのような想いで育ったのだろう。

私は、こんな想いをするなら、

はじめから平凡《へいぼん》なアヒルとして生まれたかった。

第11話

無《む》理《り》難《なん》題《だい》

城壁《じょうへき》の上に、その国の王は立っていた。
城を包囲《ほうい》するように、１００万を超《こ》える群衆《ぐんしゅう》が
大地を埋《う》め尽《つ》くしている。
しかし、王には、一人ひとりの顔が
はっきりと見える。
そして、王の帰還《きかん》を祝《いわ》うように、
数千体のドラゴンが大空を舞《ま》っていた。
王は、群衆《ぐんしゅう》に向かって、高らかに宣言《せんげん》した。

イラストレーターは、
電話に出た相手に、
怒鳴《どな》るような調子で言った。
「なんだよ、今回の文章！
あんたは、10行程度の文章を
書くだけだろうけど、
そのさし絵として、
100万の群衆《ぐんしゅう》を描く
こっちの身にもなってくれよ！
しかも、空に、数千体のドラゴン？
そもそも、100万の群衆なのに、
ひとり一人の顔がはっきり見えるの？
王様の視力《しりょく》、5・0？
あ〜、今日もまた徹夜《てつや》かよ!!!」

100万の群衆を
描かなきゃいけない、
こっちの身にも
なってくれよ！

第12話
蟲《むし》

新しく引《ひ》っ越《こ》した先の
アパートの部屋の畳《たたみ》の隙間《すきま》に、
小さな白い物体が動いていた。
つまみあげてみると、
それは小さなウジ虫であった。
「なぜ、こんな虫が？」
そう思った途端《とたん》、
何かが腐《くさ》ったようなニオイが、
鼻をついた。
私は、おそるおそる、
少ししめったような畳《たたみ》をあげてみた。

原案：江戸川乱歩「蟲」

第13話

細い道

あなたは、うす暗い闇《やみ》の中に立っています。
おぼろげながら見える道は直線で、
あなたの身体《からだ》程度の幅《はば》しかなく、
その道は、高いところにあるようにも感じます。
いくつかの直線がまじわり、
あなたは進む方向を選ぶことができます。
つまり、建築中の高層《こうそう》ビルの、
むきだしの鉄骨《てっこつ》の上をあなたは歩いていると
イメージしてもらえればよいかもしれません。
あなたがゆっくりと進んでいると、
一人の男が、その鉄骨の上に座《すわ》り込《こ》んでいます。
それはまるで、あなたが進むのを
邪魔《じゃま》しているようにも見えます。

「で、その鉄骨《てっこつ》と俺に、何の関係があるの？」
歩道に大きなスーツケースを置いた男は、
不満げにそう言った。
紳士《しんし》は、やわらかい口調で男に言った。
「鉄骨とキミの間には、何の関係もないさ。
でも、ちょっとだけ想像《そうぞう》してほしいんだ。
向こうから歩いてくる、
白い杖《つえ》をついたあの人にとって、
点字ブロックの上に大きな荷物を置いているキミは、
さっきの話の中の、鉄骨の上に座り込む男に
思えるんじゃないかってね」

第14話
大《だい》学《がく》寮《りょう》の怪《かい》

年末、大学寮に住んでいた学生のほとんどが帰省《きせい》し、寮に残っているのは、私とミユキの2人だけだった。

その日、外出するらしいミユキが私に言った。

「最近、寮の周辺に、怪《あや》しい男がウロウロしているらしいから、部屋のカギはちゃんとかけてね」

深夜、就寝《しゅうしん》しようと、私が布団《ふとん》に入ると、部屋の外から、得体《えたい》のしれない音がした。

何かをズルズル引きずるような音で、それが私の部屋の前で止まった。

すると、ドンドンと激《はげ》しくドアが叩《たた》かれ、低い声でうなるような声もする。

ドアノブも、ゆっくり回される。

私は、怖《こわ》くなり、本棚《ほんだな》の陰《かげ》に隠《かく》れた。

そして、そのまま眠《ねむ》ってしまった。

翌日、私は窓《まど》から差《さ》し込《こ》む光で目を覚ましました。
すぐに部屋の中を見回すが、
特に変わった様子はない。
部屋のカギもかかったままだ。
私は、おそるおそる部屋のドアをあけ、
廊下《ろうか》を見てみる。特に変わった様子はない――
そう思って足下《あしもと》を見た瞬間《しゅんかん》、驚《おどろ》きのあまり悲鳴《ひめい》をあげた。
そして、すぐに部屋のカギをかけ、警察に電話した。

廊下には、ミユキの死体があった。
背中を刃物《はもの》で刺《さ》されたことによる失血死《しっけつし》だった。
廊下には、ミユキが這《は》って歩いたことを示すように、
私の部屋の前まで血のあとが続いていた。
何者かに襲《おそ》われたミユキが、助けを求めて、
私の部屋まで這《は》ってきたのだろう。
あとから聞いたところによれば、
死亡推定時刻《しぼうすいていじこく》は、朝の6時頃であったそうだ。

第15話
透《とう》明《めい》薬《ぐすり》

N博士が、新しい薬を発明をしたと言って、
大勢の人を研究室に招《まね》いた。
博士が発明したのは「透明薬」で、
飲んだ人の身体《からだ》を透明にするものだという。
博士が被験者《ひけんしゃ》を募《つの》ると、Y氏が名乗りを上げた。
Y氏が薬を飲むと、
指の先が透明になり始める。
博士は言った。
「透明になるのは、人間の身体だけですから、
早く服を脱《ぬ》いでください」
Y氏が、着ていた服を脱いで裸《はだか》になる。
すると、Y氏の身体が、
足の先からだんだんと
透明になるのがわかった。

そして、首の下までが透明《とうめい》になり、
さらに透明化は進み、顔もすべて透明になった。
しかし、髪《かみ》の毛だけは、
いつまで経《た》っても透明にならない。
それは、あたかも、髪の毛だけが
宙《ちゅう》に浮いているような状況であった。
博士は不思議そうに言った。
「おかしいな。人間の身体《からだ》は
透明になるはずなんだが…。
なぜ髪の毛だけが透明にならないんだ」
すると、その理由に気づいたであろう、
何人かがクスクスと笑いはじめ、
やがて真相《しんそう》を理解した全員が大爆笑《だいばくしょう》した。
マジックテープをはがすような音とともに、
髪の毛が宙《ちゅう》を浮遊《ふゆう》し、
テーブルに置かれた。そしてY氏は失踪《しっそう》し、
3日後、裸《はだか》のまま発見された。

第16話

本の力

テレビの討論番組《とうろんばんぐみ》で、皮肉《ひにく》な笑いを浮かべた
社会学者が、児童文学作家に言った。
「しょせん、本なんてものじゃ、
飢《う》えた子ども達を
助けることはできないんですよ。
命を助けるどころか、
人間の命を奪《うば》うことだってできやしない。
本なんて、そんな程度《ていど》の力しかない、
非力《ひりき》なコンテンツ
なんじゃないですか？」

しかし、それから1ヵ月後――。
社会学者は、まさに、その本の力によって
命を落とすことになる。

児童文学？本なんかじゃ、人の命も助けられないし、奪うことだってできやしないんだよ！
……
社会学者
児童文学作家

その社会学者の死因《しいん》は、頭蓋骨陥没《ずがいこつかんぼつ》だった。
何か重いもので、
何度も何度も頭部を殴打《おうだ》されたことによる
撲殺《ぼくさつ》だったという。

第17話

語るに落ちる

ボクシングの大会で準優勝した選手のために、
慰労会《いろうかい》が開かれた。
準優勝といえど、選手の表情は暗かった。
なぜなら、大差の判定で敗《やぶ》れてしまったからだ。
指導者や保護者たちは、
いろいろな言葉で、選手を励《はげ》まそうとした。
「みんな、お前の勝利だと思っている」
「実力では、お前が上だった。
相手が勝っていたのは運だけだ」
選手は、目に涙《なみだ》を浮《う》かべていた。
コーチが、雰囲気《ふんいき》を盛り上げるために、
選手にグラスを持たせ、元気よく発声した。
「自分の勝利に自信をもて！」
そして、皆が、グラスを高く掲《かか》げた。

皆が、選手を見つめ、
満《まん》面《めん》の笑顔で、声をそろえて
大きな声で唱《しょう》和《わ》した。
「カンパーイ！」

それを聞いた選手は、
テーブルに突《つ》っ伏《ぷ》して、
大きな声で泣いた。

第18話

石ころ

一代で財《ざい》をなした大富豪《だいふごう》が、企業を買収《ばいしゅう》した。
そして、厳しいリストラを断行《だんこう》したため、
その企業の工場は閉鎖《へいさ》され、取《と》り壊《こわ》された。
また、彼は、金の力にモノを言わせて
地《じ》上《あ》げを行い、マンション住人を立《た》ち退《の》かせた。
しかし、そのようなことに
お金を使いすぎたためか、富豪は破産《はさん》し、
晩年《ばんねん》は、河原《かわら》で一人散歩《さんぽ》する姿《すがた》が目撃《もくげき》された。
やがて彼は、孤独《こどく》のうちに亡《な》くなった。

元富豪《ふごう》は、孤独《こどく》のうちに亡《な》くなった。
しかし、亡くなるときには、
幸せそうな笑顔であった。
彼は、亡くなる前、
河原《かわら》で散歩しているときに会った人に、
こんなことを言っていたという。
「このあたりは、昔、きれいな小川が流れていたんだ。
それが上流に、工場ができて廃液《はいえき》が流され、
マンションなんかが建《た》って、
自然が壊《こわ》されてしまった。
私の人生は、この美しい景色を取《と》り戻《もど》すための
戦いだったようなものだ。だから、今、
こうして河原を散歩できて、幸せなんだ」
彼が亡くなったとき、彼の遺品《いひん》は2つしかなかった。
少年の頃、河原を背景《はいけい》に撮影《さつえい》した写真と、
河原で拾《ひろ》ったであろう、キラキラと輝《かがや》く石ころである。

第19話

トロイの木馬

「トロイの伝説って、あれ信じられないよな？」
デスクワークに飽《あ》きたのか、
隣《となり》の席の同僚《どうりょう》が話しかけてきた。
「難攻不落《なんこうふらく》の城壁《じょうへき》を落とすため、
木馬《もくば》の中に兵士を隠《かく》して、
城壁の内側に入れさせるって、あり得ないだろ」
しかし、実際には、シュリーマンが、
その伝説からトロイの遺跡《いせき》を発掘《はっくつ》している。
同僚は、何を疑《うたが》っているのだろう？
「だって、怪《あや》しい木馬が置いてあるんだぜ。
明らかに誰《だれ》かが潜《ひそ》んでるだろ？
それに気づかないって、どんだけボンクラだよ」
雑談《ざつだん》に飽きたのか、同僚は、
またパソコンに向かい、仕事をはじめた。

それから小1時間後――。
隣の席から、悲鳴《ひめい》に近いうめき声が聞こえた。
同僚《どうりょう》のパソコン画面を見ると、画面いっぱいに、
「警告《けいこく》：ウィルスに感染《かんせん》しました」
という文字が表示されている。
どうやら、コンピュータウィルスに
感染してしまったらしい。
ウィルスに感染すると、情報が盗《ぬす》まれたり、
パソコンのシステムが破壊《はかい》されたりもする。
「何でそんなことになっているんだ？」
同僚は、オロオロとした声で説明した。
「何かメールが来て、高額クジに当選したから、
添付《てんぷ》の書類を開いて、銀行口座番号を書けって…」
未《いま》だに、そんな見えすいたメールに
ひっかかる人間がいることに驚《おどろ》いた。
古代から現代まで、好奇心《こうきしん》と欲望《よくぼう》の前には、
心の城壁《じょうへき》などは、すぐに陥落《かんらく》するということだろう。

第20話

トロイの木馬殺人事件

城壁《じょうへき》の前に置かれた大きな木馬を、
トロイ軍の誰もが疑《うたが》いの目で眺《なが》めた。
明らかに、誰かが潜《ひそ》んでいるパターンである。
しかし、木馬の中からは物音ひとつせず、
誰かが隠《かく》れている気配《けはい》もない。
トロイ軍は、一応、木馬を城壁内《じょうへきない》に運びはしたが、
大勢《おおぜい》の兵士が槍《やり》を構《かま》え、木馬の周囲を取《と》り囲《かこ》んだ。
観察してみると、木馬はお腹《なか》の部分にトビラがある。
やはり、中に誰かが潜んでいるのだろうか。
ゆっくりとトビラを開けてみると、
たしかに敵軍《てきぐん》であるギリシアの兵士がたくさんいた。
しかし、兵士たちは全員死亡していた。
なぜ、彼らは死んだのか、あるいは殺されたのか、
結局、その真相《しんそう》はわからずじまいだった。

敵《てき》の兵士たちの死体は、木馬から外にだされ、
3日間、広場に放置された。
それからさらに3日ほど経《た》った頃から、
城壁《じょうへき》の中で、おそろしい病気が蔓延《まんえん》しはじめ、
あっという間に壊滅的《かいめつてき》な被害《ひがい》をトロイ軍に与えた。
トロイにはもはや、戦争を続ける体力はなく、
降伏《こうふく》せざるをえない状況に陥《おちい》った。

さかのぼること1ヵ月前。
ギリシアのある町で怖《おそ》ろしい病気が流行し、
大勢の人間が死んだ。
原因はわからなかったが、ギリシア軍は、
その病気で死んだ者に兵士の格好《かっこう》をさせ、
木馬の中に入れ、
トロイの城壁の前に置いてみた。
細菌《さいきん》やウィルスで病気が感染《かんせん》するなどとは
まだ知られていない時代の出来事である。

第21話
前《ぜん》前《ぜん》前《ぜん》世《せ》の記《き》憶《おく》

僕には、はっきりとした前世の記憶があった。
前世、僕は武家《ぶけ》の次男で、好きな女性がいたのだが、
身分の違いで、結局、結婚することはできなかった。
生まれ変わった僕は、ずっと彼女を探している。
きっと彼女も、同じ時代、同じ国に
生まれ変わっているに違いない。
根拠《こんきょ》はないが、そう思えたのだ。
ある日、僕は、とうとう彼女を見つけた。
顔は前世とは違っていたが、一目で彼女とわかった。
目の前に現れた僕を見て、彼女は驚《おどろ》いていた。
彼女も、きっと前世の記憶を持っていて、
直感的《ちょっかんてき》に僕だとわかったのだろう。
しかし、彼女は、僕を見るなり、
突然《とつぜん》、走《はし》り去《さ》ろうとした。

僕は、あわてて彼女の腕《うで》をつかんだ。
「待って！　僕のことを覚えていない？
前世《ぜんせ》で、君と愛し合い、
結婚の約束までした、新之介《しんのすけ》だよ。
なぜ逃げるんだ⁉」
しかし、彼女は、
何かを恐《おそ》れるかのように、
顔をひきつらせ、
震《ふる》える声でつぶやいた。
「また…、また私の首を絞《し》めて、殺すの？」
彼女にそう言われて、
僕ははっきりと思い出した。
両親に結婚を反対され、
「あの世で添《そ》い遂《と》げよう」と言ったものの、
心中《しんじゅう》を彼女に断《ことわ》られ、
嫌《いや》がる彼女の首を絞《し》めて殺し、
無理心中《むりしんじゅう》したことを——。

第22話 狼男《おおかみおとこ》の襲撃《しゅうげき》

ヨーロッパの、とある村。
「次の満月の晩《ばん》に、
狼男《おおかみおとこ》が現れて、村を襲撃《しゅうげき》する」
という予言を占《うらな》い師《し》が立てた。
狼男を退治《たいじ》する方法は、ただ1つ。
銀《ぎん》で作った弾丸《だんがん》で、
狼男の体を撃《う》ち抜《ぬ》かなければならない。
村人たちは、皆、銀の弾丸を作り、
村の広場に家畜《かちく》をつなぎ、
狼男の出現を待った。
満月の夜、予言通り、狼男が村に現れた。
しかし、村人たちは、慌《あわ》てることなく、
そして、恐《おそ》れることなく、
四方八方《しほうはっぽう》から、銀の銃弾を狼男に浴《あ》びせた。

一斉射撃《いっせいしゃげき》を受けた狼男《おおかみおとこ》は、
うめき声に似《に》た遠吠《とおぼ》えを発すると、
森の奥へと去っていった。

森の奥にようやくたどりついた占《うらな》い師《し》は、
狼男の仮装《かそう》をほどこした着ぐるみを脱《ぬ》いだ。
弾丸《だんがん》を吸収《きゅうしゅう》するような素材で作っているから、
着て走るだけで、相当《そうとう》な体力を消耗《しょうもう》する。
占い師は、その着ぐるみにめりこんだ
銀の弾丸をひとつ一つ丁寧《ていねい》に抜《ぬ》いた。
「すごい数の弾丸を撃《う》ち込《こ》みやがったな。
まぁ、撃ち込まれた弾丸が多ければ多いほど、
溶《と》かして売るための銀が増えるから、
いいんだけど」

またお金に困《こま》ったら、狼男さんに登場してもらいますか

第23話 華麗《かれい》なる推理《すいり》

一人の女性が、とある事務所を訪《おとず》れた。

「ちょっと困《こま》ったことがあって、
やってきました…」

そして、言葉を続けようとする女性をさえぎって、
ソファーに座り、パイプをふかしていた男が言った。

「そのアクセントからすると、
あなたは、東欧《とうおう》の××国の出身だ。
その服は、10年前に、そのブランドが、
20歳の女性にだけ特別に販売《はんばい》したものだから、
今、あなたは30のはずだ。
うん？ その靴《くつ》のかかとの減《へ》り方…
今年、ヨーロッパだけで、
10ヵ国以上訪《おとず》れていますね。
もちろん、私には、あなたの相談ごともわかる…」

そして男は、右手に持った
黒い手帳《てちょう》のようなものを女性に見せて言った。
「あなたがお探しのものは、
このパスポートでしょう？
アーデルハイドさん。
こういう大事なものをなくしたら、ダメでしょう」
それを聞いていた、男の同僚《どうりょう》が、
女性に向かって、申し訳なさそうに言った。
「お嬢《じょう》さん、面倒《めんどう》くさい奴《やつ》でゴメンね」
そして、男に向かって言った。
「パスポートを見て知った情報を、
さも推理《すいり》したみたいな言い方で、言うなよ。
ここは、探偵事務所じゃなくて、
遺失物集積《いしつぶつしゅうせき》センターなんだからさ」

第24話

小さなウソ

春にクラスに転校してきたケンタくんは、
いつも一人ぼっちで、クラスになじめなかった。
夏休みに入る前の日、僕は、ケンタくんに呼び出され、
衝撃的《しょうげきてき》な告白を聞いた。
「僕は実は、西暦《せいれき》2450年の日本からやってきた
未来人なんだ。でも、この時代に到着したとき、
タイムマシンが故障《こしょう》してしまった。
未来に帰るためには、詳《くわ》しくは言えないけど、
白いカブトムシが必要だから、
探すのを手伝ってもらえないか?」
実は、ケンタくんに友だちがいないのは、
そんなことばかり言っているからなんだけど、
僕は、ケンタくんがウソをついているようには
思えなかった。

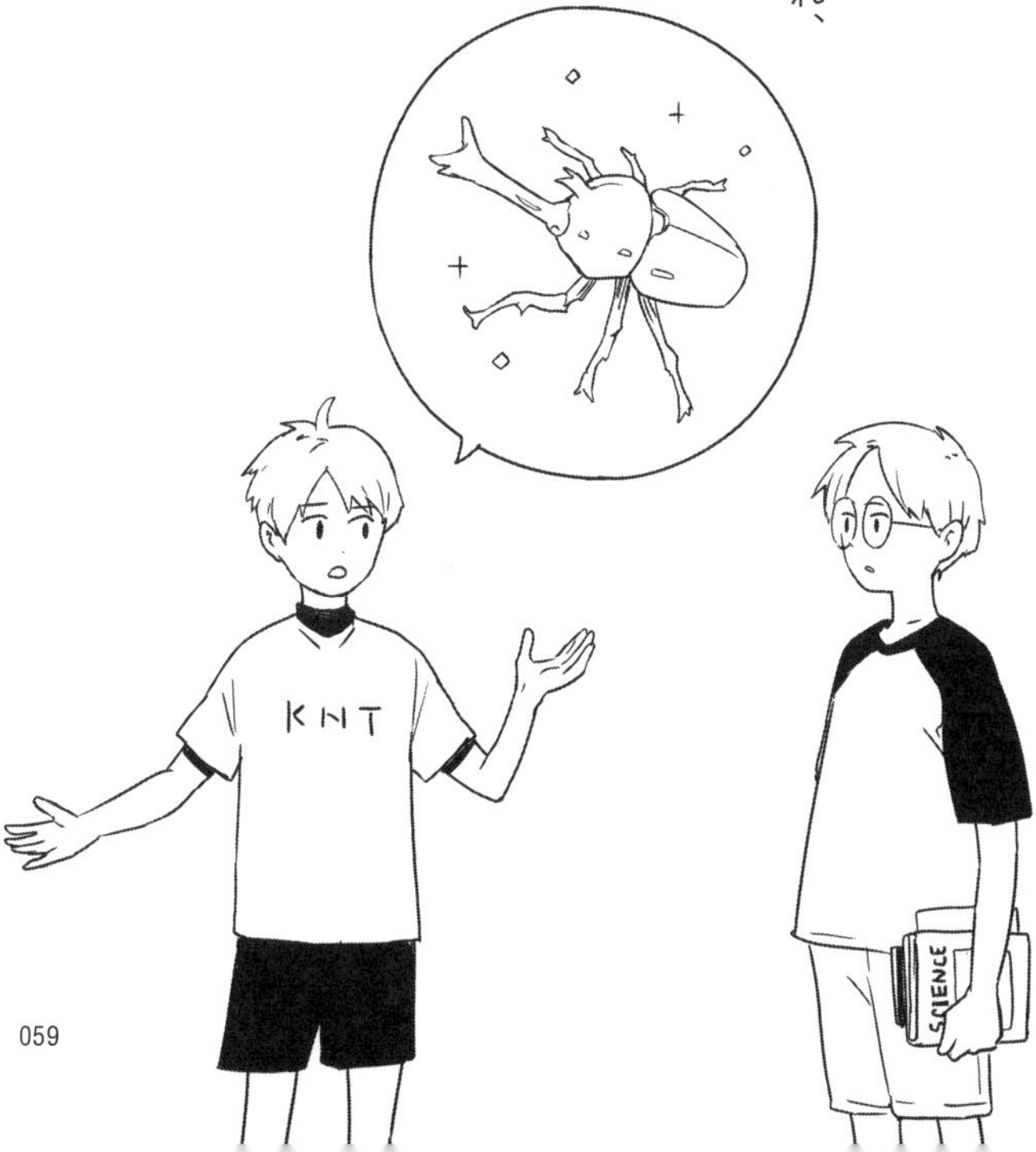

その日も、山の奥深《おくふか》くまで入って、
2人で「白いカブトムシ」を探した。
しかし、そんなものは、なかなか見つからない。
気がつくと、日は暮《く》れ、帰り道も見失っていた。
僕は、だんだん怖《こわ》くなって、
ケンタくんを責《せ》めてしまった。
「2450年の未来から来たなんて、ウソだろ!
ウソばかりつくから、友だちができないんだよ!!」
2人で泣いていると、それが捜索隊《そうさくたい》の耳に届《とど》き、
僕らは無事に発見された。と、そのとき、クヌギの木に、
白いカブトムシがとまっているのを発見した。
僕は、ケンタくんを責めたことが恥《は》ずかしくて、
カブトムシを無言《むごん》で手渡《てわた》すことしかできなかった。
夏休みが終わると、ケンタくんは学校には来なかった。
なんでも、親の都合《つごう》で転校したらしい。
学校から帰ると、ケンタくんからの手紙が届《とど》いていた。

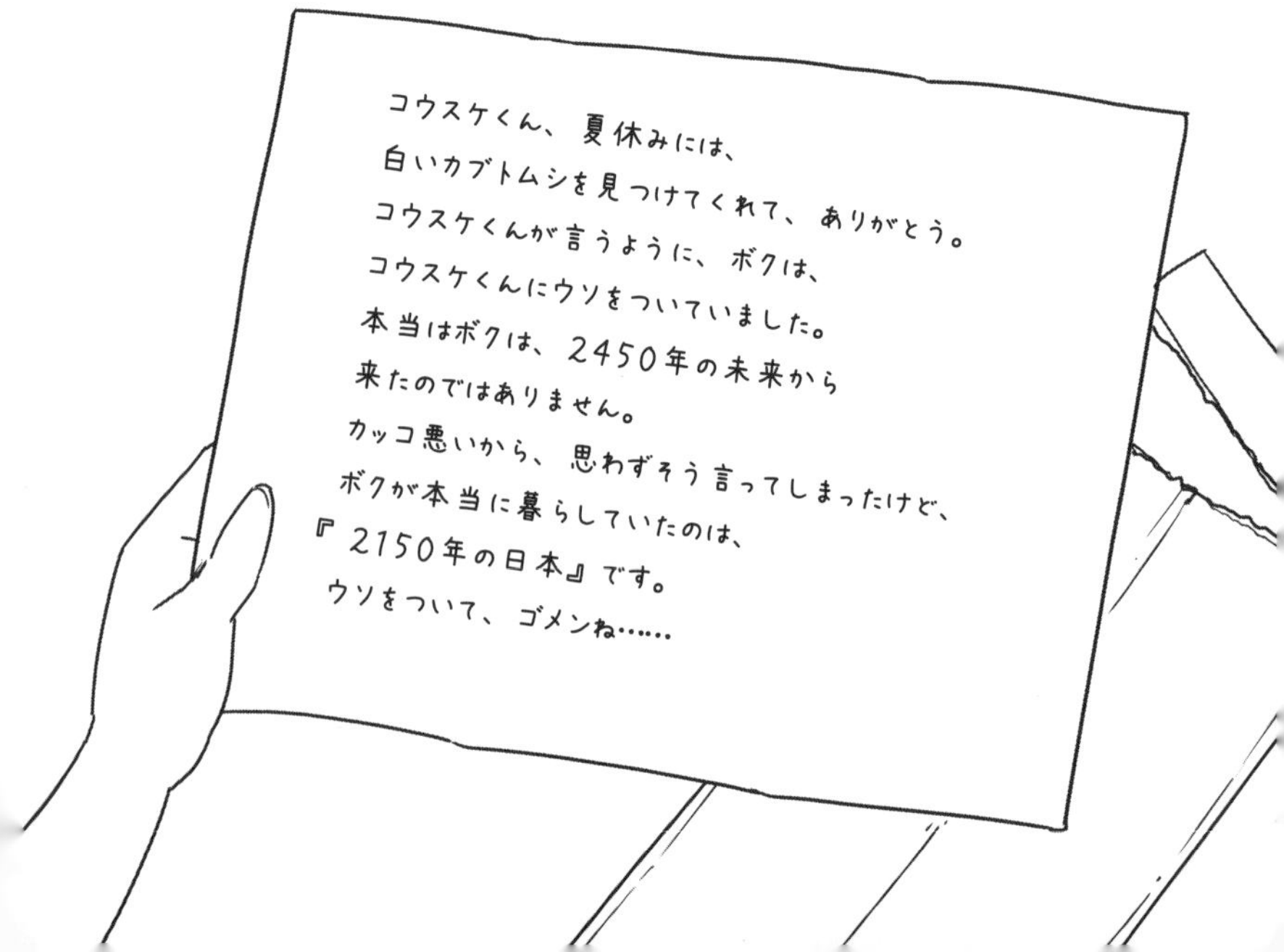
コウスケくん、夏休みには、
白いカブトムシを見つけてくれて、ありがとう。
コウスケくんが言うように、ボクは、
コウスケくんにウソをついていました。
本当はボクは、2450年の未来から
来たのではありません。
カッコ悪いから、思わずそう言ってしまったけど、
ボクが本当に暮らしていたのは、
『2150年の日本』です。
ウソをついて、ゴメンね……

第25話

タイムマシン

ある科学者が、突然《とつぜん》、
「タイムマシンを発明した」と発表した。
科学者が言うには、発明のポイントは、
「道路にある」という。自動車があっても、
きちんと整備《せいび》された道路がなければ走れない。
実はタイムマシンも、重要なのは、
マシン本体ではなく、
道路にあたるものだったらしい。
皆《みな》の前でタイムマシンを
動かし実証《じっしょう》するため、
科学者は、多くの報道陣《ほうどうじん》を集めた。
そして、報道陣の前で、
タイムマシンは起動し、
時空《じくう》の中に消えた。

それから1分後、
時空《じくう》の中からふたたび
現れたタイムマシンは、
ボロボロに壊《こわ》れており、
操縦席《そうじゅうせき》から出てきた科学者も、
血まみれで大ケガをしていた。
駆《か》け寄《よ》った報道陣《ほうどうじん》に科学者は言った。
「3日後の世界に向かったんだが、
その途中《とちゅう》、3日後から戻《もど》ってくる
私自身が乗ったタイムマシンと
正面衝突《しょうめんしょうとつ》してしまった。
作った道路が細すぎた！」

第26話

タイムマシンの改良《かいりょう》

科学者が考えたタイムマシンは、
理論的には、間違いのないものだった。
タイムマシン道路（通称：TM道路）
にも改良が加えられ、
時間旅行ができるようになった人類は、
過去・未来への旅を楽しむようになった。
しかし、TM道路が開通して1ヵ月後、
世界中のタイムマシンは、
故障《こしょう》してしまったかのように、
動かなくなってしまった。

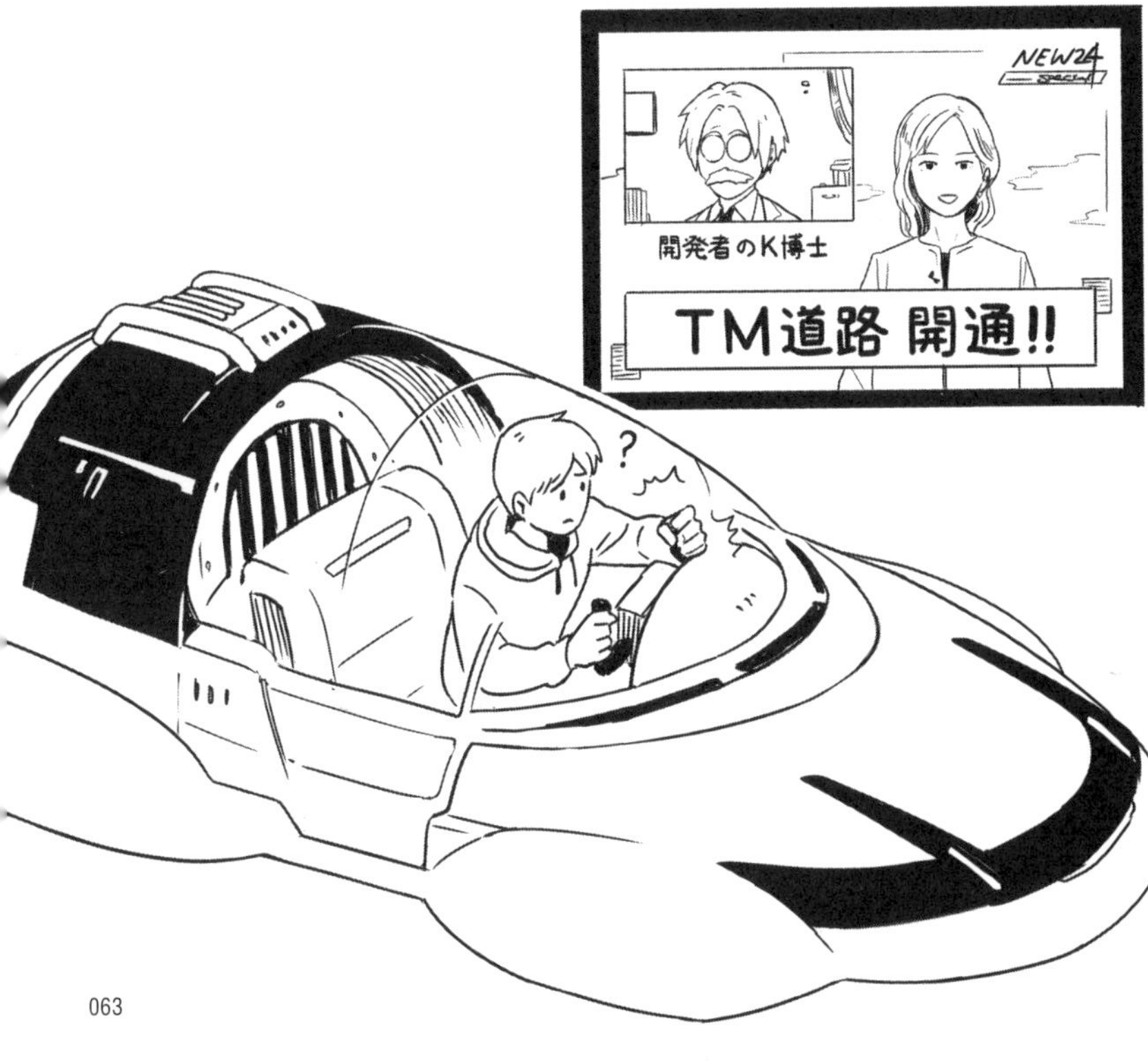

その原因を究明《きゅうめい》するため、
科学者がチームを作って、原因の調査にあたった。
そして、驚《おどろ》くべき結果――
しかし、誰もがうすうすは
わかっていた結果が、発表された。
「タイムマシンが故障《こしょう》しているわけではない。
これは、タイムマシンの交通渋滞《こうつうじゅうたい》だ。
いくらスピードのでるスポーツカーに
乗っていても、高速道路の渋滞にはまれば、
のろのろとしか走れない。
そんなような状況《じょうきょう》にすぎない。
タイムマシンに欠陥《けっかん》があるわけではない」
タイムマシンは、止まっていたわけではなく、
非常にゆっくりとではあるが、動いていた。
3日後の未来に行くために、
3日間かかってしまう――
ただ、それだけのことであった。

第27話
発明の理由

私は、とうとうタイムマシンを完成させた。
重要なのは、実は、道路のほうだったのだ。
私には、タイムマシンで
行ってみたい時代があった。
だから、このマシンを完成させたのだ。
完成までに、50年以上かかってしまった。
目的の時代と場所を設定し、
たどりついた時代で簡単な調査をし、
ある家の前で張《は》り込《こ》んだ。
小1時間後、私がターゲットとする人物が
元気よく玄関《げんかん》から出てくる。
あとから母親らしき人物がでてきて、
何かを注意しているようだ。

母親らしき人物は、最後にまた大きな声で言った。
「ご先祖《せんぞ》様《さま》の名前は、ちゃんと覚えてる？」
「覚えてるよ。コウスケだろ。顔も覚えた」
母親は、真面目な表情になった。
「絶対にあなたの正体を知られちゃダメよ！」
私の目に涙《なみだ》があふれてきた。
はじめて会ったときから、
どこか懐《なつ》かしい気がしていた。
「もしかしたら？」と思っていたが、
やはり彼――ケンタくんは、僕の子孫《しそん》だった。
私がタイムマシンを発明して、
この２１５０年という
未来の世界にやってきたのは、
ただ一言、ケンタくんに謝《あやま》りたかったからだ。
あの日、嘘《うそ》つき呼《よ》ばわりしてしまったこと、
ケンカしたまま別れてしまったことを。
母親が、走り出そうとするケンタに言った――

何かあったら、そのカブトムシ型の通信機で、必ず連絡するのよ。迎《むか》えに行くから！

第28話

ケチ

江戸の町に、「ケチ」で有名な男がいた。
暑い日も、扇子《せんす》を買うのは
お金がもったいないから、
自分の首を素早《すばや》く振《ふ》って、風を顔に当てる
――そんな人物であった。
男は食事をするとき、おかずを食べなかった。
必ず白飯を携《たずさ》えて、ウナギ屋の前に行き、
焼かれたウナギの香ばしいニオイをかぎ、
それをオカズにしながら、ご飯を食べるのだ。
あるとき、ウナギ屋の主人が怒《おこ》って言った。
「ウナギを買いもしねぇで、ニオイだけ
かがれたんじゃ、たまったもんじゃねぇ」
そして男に、勘定書《かんじょうがき》をつきつけた。

男は、勘定書《かんじょうがき》に書かれた代金を確認すると、
懐《ふところ》の財布《さいふ》の中から、ありったけの小銭《こぜに》を
手の平に移し、ウナギ屋の主人の前につきだした。
主人が、その小銭をとろうと手を伸《の》ばすと、
男は、その手をさっとひっこめ、
両手の平で小銭を覆《おお》い、激《はげ》しく上下に振《ふ》った。
男の手の中で、小銭がチャリンチャリンと
大きな音を立てる。
男は、悪びれもせずに言った。
「ニオイだけで食ったわけじゃねぇんだ。
この音だけとっておきな！
同じことだろ？」

第29話

通報

今日もまた、「おやすみ」を言うために、彼女に電話をかけた。しかし、話をはじめてから5分後くらいで異変《いへん》が起きた。

電話口の向こうから、「あなた誰？　出て行って！」という彼女の悲鳴《ひめい》、それに続いて、ガシャンという、ガラスが割れる音が聞こえたのだ。

すぐに、警察に通報したが、のんびりとした口調で、こちらの連絡先や名前を聞いてくるだけ。

イタズラ通報を疑《うたが》っているようだ。

僕はイライラして電話を切った。そして、タクシーをつかまえ、彼女の部屋に駆《か》けつけた。

ドアをドンドンと叩《たた》く。返事はない。

しかし、中からうめき声が聞こえてくる。

僕は、ドアを開け、彼女の家に駆《か》け込《こ》んだ。

彼女の家に入り、僕は驚《おどろ》いた。
部屋の中には、すでに警察官が到着《とうちゃく》している。
無事に事件は解決したのだろうか。
ならばよかった。僕は安心して帰ろうとした。
すると、警察官に腕《うで》をつかまれた。
「お前が、毎晩《まいばん》電話をかけてくるストーカーだな。
正体がわからなかったから、
一芝居《ひとしばい》打たせてもらい、おびきださせてもらったよ」
僕は、怒《いか》りに震《ふる》える声で反論《はんろん》した。
「何を言っているんですか？
廊下《ろうか》を歩いていたら悲鳴《ひめい》が聞こえてきたから、
心配してのぞいてみただけじゃないですか！」
「心配してねぇ…。で、どうやってこの部屋に
入ったんだい。カギがかかったこの部屋に」
僕は思い出した。ドアにカギがかかっていたから、
こっそり作った合いカギで
部屋のドアを開けたことを。

第30話

宅《たく》配《はい》便《びん》の謎《なぞ》

ある日、娘《むすめ》から宅配便《たくはいびん》が届《とど》いた。
中に入っていたのは、ちょっとしたお菓子《かし》で、
そんなものを送ってくる理由がわからなかった。
そしてそれから、毎日宅配便が届くようになった。
差し出し人は娘だけではなく、
息子《むすこ》であったり、息子の嫁《よめ》であったり、
孫《まご》であったりとさまざまで、
送られてくるものにも、特に関連性はない。
妻《つま》に先立たれた私は、子ども達の世話にならず、
一人で暮らしている。子ども達が遺産《いさん》を狙《ねら》って、
何かを企《たくら》んでいるのではないかとも考えた。
とにかく、何かの意図《いと》があるに違《ちが》いない。
私は、差し出し人の1人でもある孫を自宅に呼《よ》んで、
真相《しんそう》を探《さぐ》ることにした。

「タケ坊《ぼう》、いつも宅配便《たくはいびん》を送ってもらって悪いなぁ。爺《じい》ちゃんのわがままでお願いしてるけど、タケ坊、めんどくさいじゃろ?」

孫は、少し意外そうな顔をして、逆に聞き返してきた。

「あれ、じいちゃんのお願いだったの? てっきり、ママのアイデアだと思ってた」

やはり子どもだ。あっさりと誘導尋問《ゆうどうじんもん》にひっかかった。

「じいちゃん、この間、骨折《こっせつ》して入院してたろ? 入院してずっと寝たきりだと、起き上がれなくなることがあるって、ママが言ってた。宅配便だと、受け取りで玄関まで歩くし、ちゃんと相手に手渡せたかが、配達番号から追えるから、じいちゃんが倒《たお》れたりしてないかわかるんだって」

子どもだと思っていた孫が、すべてを見透《みす》かしたように言った。

「じいちゃん、意地《いじ》を張《は》らないで一緒に暮らそうよ。せめて、スマホくらいは持ってよ。僕が教えてあげるから」

第31話

医療革命《いりょうかくめい》

住民の平均年齢《へいきんねんれい》が70歳を超《こ》え、医師が1人しかいない離島《りとう》で、
とある企業が、医療革命《いりょうかくめい》を起こそうとしていた。
ロボット医師が診断《しんだん》、診療《しんりょう》を行う、
「AI病院」が新たに設立されたのである。
ロボット医師は、脈拍《みゃくはく》や呼気《こき》、簡単な検査で、
病気のリスクを検出《けんしゅつ》し、
オンラインでつながったデータベースから、
最適《さいてき》な治療法《ちりょうほう》を導《みちび》き出《だ》す。
また、毎日の健康管理《けんこうかんり》で、病気のリスクを予防《よぼう》する。
もちろん、「インフォームド・コンセント」機能《きのう》は、
もっとも力を入れて開発された部分である。
病気について、患者《かんじゃ》にもわかるような言葉で、
しっかりと、そして優しく説明するのが、
ロボット医師の特徴《とくちょう》であった。

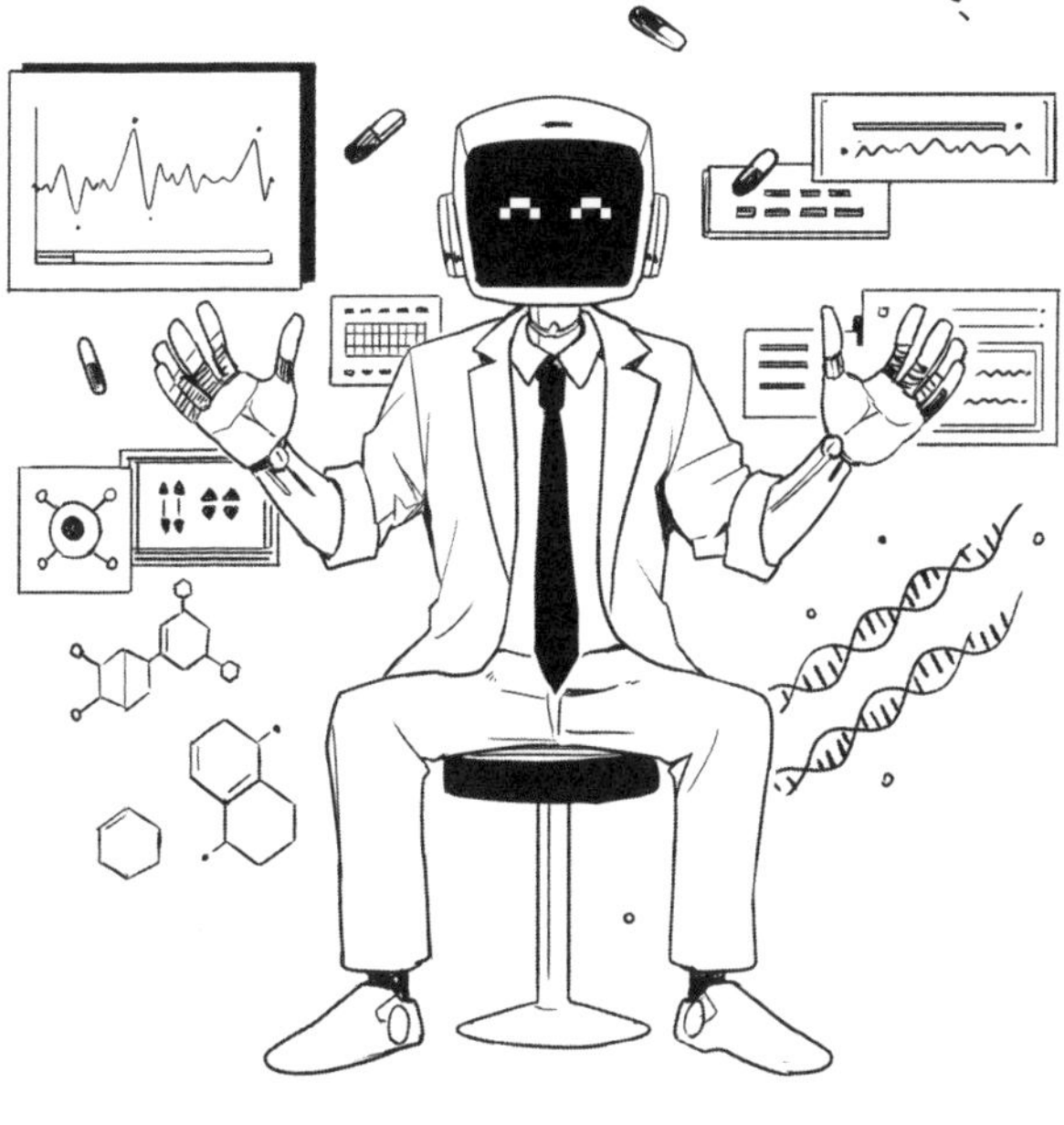

しかし――。
AI病院には、まったく人は集まらなかった。
患者《かんじゃ》たちは皆《みな》、老医師《ろういし》が営《いとな》む診療所《しんりょうじょ》に通い続けた。
ある老人《ろうじん》は言った。
「あたしらは、
病気を治《なお》しに病院に行くんじゃねぇ。
病気が治ったら、
病院に行けねぇじゃねぇか」
またある老人は言った。
「お医者様に怒《おこ》ってもらえなかったら、
誰がわしらに怒ってくれるんじゃ！」

第32話

選挙革命《かくめい》

それまで無名だったタレントが、
多くのCMやバラエティに起用《きよう》され、
一躍《いちやく》、人気タレントになった。
彼は、その人気をバネに、衆議院選挙《しゅうぎいんせんきょ》に出馬《しゅつば》し、
多くの票《ひょう》を集め、見事に当選した。
彼の人気の秘密は、何と言っても、
歯《は》に衣着《きぬき》せぬ、「毒舌《どくぜつ》」にあった。
年寄《としよ》りだろうが何だろうが、
平気で悪口を言い、叱《しか》り飛《と》ばす。
しかし、「彼の声を聞くと、なぜか安心する」と、
高齢者層《こうれいしゃそう》を中心に絶大《ぜつだい》な支持《しじ》を得《え》たのである。
いまや彼は、
「次に総理《そうり》になってほしい人」調査でも、
上位にランクインする人間となっていた。

とある企業の会議室。
プロジェクターに映《うつ》し出《だ》されていたのは、
「彼」の支持層《しじそう》に関する調査であった。
プロジェクトのリーダーが、
画面を見ながら発表を続けた。
「あの離島《りとう》での医療《いりょう》プロジェクトで、
我々は、初期の段階では大失敗をしました。
しかし、見事にプロジェクトを立て直し、
今、AI病院は、全国に展開している。
ロボット医師は、優しければいいというわけではない。
むしろ叱《しか》ったり、なじったりすることが、
患者《かんじゃ》の信頼《しんらい》を得るコツだと悟《さと》ったのです。
今、全国に展開されているロボット医師の
声のベースとして採用《さいよう》されているのは、『彼』の声です。
彼自身は生身《なまみ》の人間ですが、
『彼の声』は、全国の高齢者《こうれいしゃ》たちに、
もっとも影響《えいきょう》を与えることのできる『声』なのです!」

第33話
重力《じゅうりょく》操作《そうさ》

私の周囲《しゅうい》を大勢の敵《てき》が取《と》り囲《かこ》み、
全員が私に向けて、
機関銃《きかんじゅう》を構《かま》えている。
しかし私は動じることなく、
自分の異能力《いのうりょく》——
重力操作《じゅうりょくそうさ》の能力を発動させた。
これで私は、全方位《ぜんほうい》を、
重力の壁《かべ》で守られているようなものだ。
敵が四方八方《しほうはっぽう》から機関銃を乱射《らんしゃ》するが、
弾丸《だんがん》はすべて、
重力によって下に落とされている。

突然《とつぜん》、黒い影《かげ》が覆《おお》い、
ものすごい轟音《ごうおん》が聞こえてきた。
思わず頭上《ずじょう》を見上げると、
大型《おおがた》の旅客機《りょかくき》が、
吸《す》い寄《よ》せられるように、
私を目がけて落下《らっか》してきていた。
おそらく、重力操作《じゅうりょくそうさ》を発動したとき、
その上空を、
この旅客機が飛んでいたのだろう。
その5秒後、
旅客機と地面が私をはさんだ。

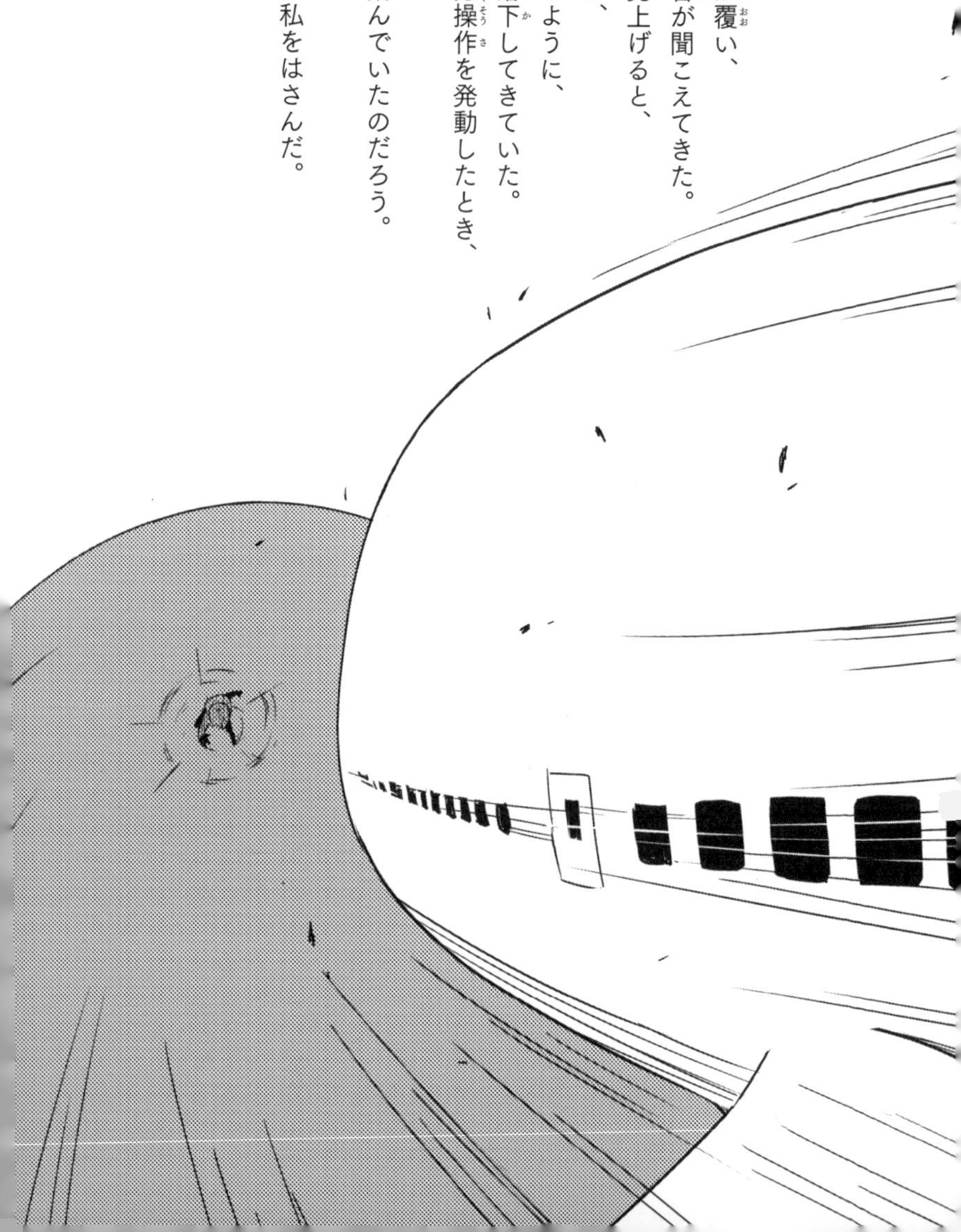

第34話

ナポレオン

転校したばかりで、クラスにもなじめず、
一人で部屋に閉じこもって
ゲームばかりしている子どもの様子を見かねて、
父親が言った。
「ナポレオンがお前くらいの年齢《ねんれい》の頃《ころ》、
家族で、イタリアからフランスに移住《いじゅう》したんだ。
彼は、新しい学校になじめなかったけど、
古今東西《ここんとうざい》の書物《しょもつ》を読んで、
将来《しょうらい》、世の中を変える人物になることを
夢《ゆめ》見ていたらしいぞ。
お前も、ゲームなんかやってないで、
たくさん本を読んで、広い世界に目を向けろよ」

子どもは、ゲーム機《き》から視線《しせん》を離《はな》すことなく言った。
「パパ知ってる？
ナポレオンは、今のパパくらいの年齢《ねんれい》のときには、
すでにフランスの皇帝《こうてい》になっているんだよ？
パパも、もっと上を目指したら？」
父親が、怒《いか》りのあまり、何も言えずにいると、
子どもが、続けて言った。
「でも最後、ナポレオンは、
大西洋の孤島《ことう》に幽閉《ゆうへい》されて、
暗殺《あんさつ》されたって説もあるよね。
パパは、ナポレオンになんかならないで。
パパは、今のままのパパでいいや」

第35話

魚の王国の裁判《さいばん》

魚の王国で裁判《さいばん》が開かれた。
独裁的《どくさいてき》な王政《おうせい》を打倒《だとう》しようとした革命家《かくめいか》が
罪《つみ》に問われたのである。
しかし、裁判とは名ばかり。
国王が裁判長をつとめるその裁判で、
弁明《べんめい》の余地《よち》もなく、
一方的に死刑《しけい》が宣告《せんこく》された。
革命家は、王に向かって叫《さけ》んだ！
「お前も、いつか裁《さば》かれる日がくるぞ！」
王は、あざ笑うように言った。
「誰が私を裁くというんだ。神か？
神がいるのなら、
命乞《いのちご》いをしたらどうだ？」

革命家が、王をにらもうとして顔を上げた瞬間《しゅんかん》、
信じられない光景を見た。
王が、すごいスピードで
天に向かって上昇《じょうしょう》していったのである。

船上《せんじょう》の漁師《りょうし》が、嬉《うれ》しそうな声で叫《さけ》んだ。
「きたきたきたーー！
確実にかかってるぞ！」
そして、素早《すばや》くリールを巻《ま》き上《あ》げる。
水面《すいめん》に魚影《ぎょえい》が見えた瞬間《しゅんかん》、
漁師が思い切り竿《さお》を跳《は》ね上げる。
甲板《かんぱん》にたたきつけられた魚が、
ビタビタと暴《あば》れ回《まわ》る。
「超大物だ！　これは脂《あぶら》がのっていて美味《うま》いぞ！」
そして、若い漁師に指示した。
「新鮮《しんせん》なうちに食べよう！
この魚、今すぐさばいておいてくれ！」

第36話

ナポレオンの復活

今日もテレビでは、
政治家《せいじか》たちの失態《しったい》を伝えるニュースが
報じられていた。
そんなニュースを見ながら、父親が息子に言った。
「現代の日本にナポレオンが生きていたら、
国民は、どう思うだろうね？
有能《ゆうのう》な政治家になれたと思う？」
同じ番組を眺《なが》めていた息子が答えた。
「すべての国民から尊敬《そんけい》され、
そして人気者になったんじゃない」
いつもとは違い、やけに素直《すなお》なことを怪《あや》しみながら、
父親が息子に聞いた。
「なんで、そう思うんだい？」

息子は、そんな質問をされたこと自体に驚《おどろ》いた、
というような顔をして言った。
「ナポレオンって、18世紀後半の生まれだよ。
今、生きていたら、250歳くらいでしょ。
そんな長寿《ちょうじゅ》の人だったら、尊敬《そんけい》もされるだろうし、
人気者にもなると思うよ。
でも、政治家《せいじか》としてはどうかな。
250歳のおじいさんには、
政治家は、体力的に無理だろうし、
そもそもナポレオンは、
日本語を話せないだろうしね…」
唖然《あぜん》とする父親に、息子は続けた。
「っていうか、最近、
何でも『ナポレオン』にたとえるけど、
どうしたの？　何か、
ナポレオンに関するテレビ番組でも観て、
影響《えいきょう》でも受けたの？」

第37話

信用度の問題

マンションの管理人《かんりにん》が、ある居住者《きょじゅうしゃ》の部屋を訪《たず》ねた。

このマンションは、犬や猫《ねこ》などのペットを飼《か》うことが禁止《きんし》されていたにもかかわらず、
この部屋から、時折《ときおり》、犬の鳴き声がするというのだ。

ドアを開け、出てきた住人に、管理人は言った。

「この部屋で犬を飼っていませんか？」

「いや、犬なんか飼っていないが」

住人は不機嫌《ふきげん》そうに言う。

「しかし、この部屋から犬の鳴き声がする、というクレームが寄《よ》せられているんです」

「私の言うことより、ほかの者の言うことを信じるのか！」

住人は、顔を赤くして激昂《げきこう》した。

そのとき、トビラが閉められた奥《おく》の部屋から、

「ワンワン！」と犬の鳴く声が聞こえた。

管理人《かんりにん》は、皮肉《ひにく》な口調で言った。
『犬なんか飼《か》ってない』っておっしゃいましたが、
奥の部屋で、ワンちゃんが、
『ボクはここにいますよ！』って、
力強く主張されているようですよ？」
それを聞いた、住人は、さらに顔を赤くして言った。
「犬なんか飼っていないいって言っただろう。
貴様《きさま》は、私の言うことより、
犬の言うことを信じるのか！」
住人の顔が真っ赤なのは、
怒《いか》りによるものなのか、照《て》れによるものなのか、
管理人にはわからなかった。

第38話

マジックショー

ホテルで重要な商談《しょうだん》があったため、
早めにホテルに着いてみると、
ホテルの広間の入り口に、
「マジックショー」という看板《かんばん》が立てられている。
まだ時間があったので、中に入って観《み》ていると、
いきなりステージに引っ張《ぱ》りあげられ、
マジシャンが、私の顔に、何かを落書《らくが》きしはじめた。
手鏡《てかがみ》を渡《わた》されて見てみると、
カラフルな色のペンで、
トランプの柄《がら》が描《か》かれている。
この顔の落書きが、実際のトランプとなって
飛び出してくるのだろう。
マジシャンは、観客席《かんきゃくせき》に向かって、
大きな声で説明をはじめた。

向かいの席に座った取引先の2人が、
真っ赤な顔をして、無言《むごん》でこちらをにらんでいる。
私の隣《となり》に座《すわ》った上司《じょうし》が、
私の言《い》い訳《わけ》を再確認するように聞いてきた。
「で、手品のショーだと思っていたものが、
新しいマジックペンの新商品発表会だったと。
そのペンは、ハロウィーンなどの仮装用《かそうよう》に使える、
人間の肌《はだ》に直接描《か》けて害《がい》がないインクだったと…」
私は、ただ黙《だま》ってうなずくしかなかった。
「で、そのインクは3時間ほど経《た》つと水で消せるけど、
それまでは、強くこすっても消せないと。
仮装中、ペイントが雨や汗《あせ》で消えたら大変だものな……って、
仮装の心配はいいんだ。フザケているのか、キミは！」
その後、取引先の2人が顔を赤くしているのは、
笑いをこらえていたためだとわかり、商談《しょうだん》もうまくいった。
やはり、ビジネスには、最初のインパクトが必要だが、
この手は、もう2度と使えないだろう。

第39話

恋人と仕事と

ある大企業の社長令嬢《しゃちょうれいじょう》と、
その会社に勤《つと》める
エリート社員がお見合いをし、
結婚を前提《ぜんてい》に付き合うことになった。
そのエリート社員は、
端正《たんせい》な容姿《ようし》で、仕事ぶりも優秀《ゆうしゅう》。
元々、将来《しょうらい》の幹部候補生《かんぶこうほせい》と言われていたが、
社長令嬢と婚約《こんやく》したことで、
「次期社長候補《こうほ》」とも言われるようになった。
しかし、仕事ができるゆえ、彼に任《まか》される仕事も多く、
なかなかデートする時間もない。
あるとき、そのことにストレスをためた
社長令嬢が言った。
「私と仕事、どっちが大事なの!!」

「私と仕事、どっちが大事なの!!」

泣きながら詰《つ》め寄《よ》る社長《しゃちょう》令嬢《れいじょう》をなだめるように、エリート社員が、おだやかな口調で言った。

「そんな意地悪《いじわる》なことを言わないでくれ。キミのことも大事だし、僕が勤《つと》めているのは、キミのパパの会社なんだから、仕事だって大事だよ。両方とも大事だ」

しかし、社長令嬢は、なおも、しつこく詰問《きつもん》した。

「でも、ちょっとくらいは差があるでしょ?」

エリート社員は、クールな眼差《まなざ》しを向けて答えた。

「いや、まったく同じ、イコールだよ。だって、キミとの恋愛は『仕事』なんだから。同じものなのに、差《さ》なんかないよ」

第40話

彼氏の顔

「ヨウコの彼氏って、
見た目はどんな感じなの？」
友人のユリに聞かれて、ヨウコは困《こま》った。
なんと説明したらいいのだろう。
「そうねぇ。
メガネをしているときは、
全然かっこよくない。
はっきり言って、不細工《ぶさいく》に見える。
でも、メガネをはずすと、
すごくカッコよく見える。
メガネをしているときと、
してないときのギャップがすごいかな」

「いいな〜。ギャップ萌《も》えだね」

「そんないいかな?」

自分の彼氏をほめられることになれていないのか、ヨウコは、嬉《うれ》しそうなそぶりも見せず、淡々《たんたん》とした様子だ。

ユリは、そんな様子がもどかしくてアドバイスした。

「じゃあさ、彼氏にコンタクトをつけてもらったら?」

ヨウコは、ユリの顔を不思議《ふしぎ》そうに見つめて言った。

「どうして? 私の彼氏、全然視力《しりょく》が悪くないけど?」

「えっ、だって、さっき、『メガネをかけたら』とかって……」

ヨウコは、自分の発言が、友人に誤解《ごかい》を与《あた》えたことに気づき、補足《ほそく》した。

「あぁ、そうか。さっきの『メガネをしたら』とか、『メガネをはずしたら』っていうの、彼氏じゃなくて、『私が』ってことだよ」

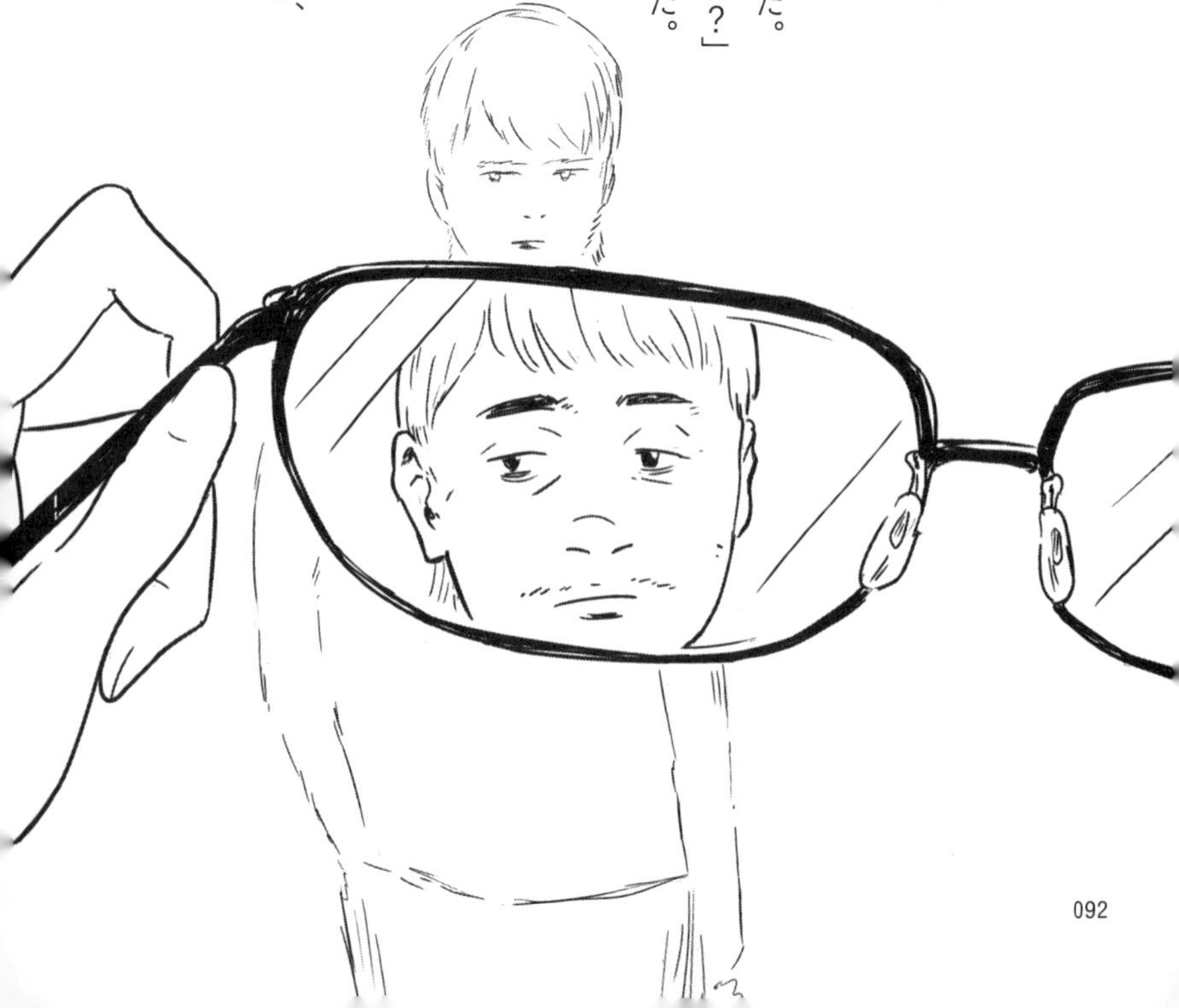

第41話

パラドックス

古代ギリシアの哲学者《てつがくしゃ》ゼノンは、
有名な2つのパラドックスを提唱《ていしょう》した。
「アキレスと亀《かめ》」のパラドックスと、
「飛んでいる矢《や》は止まっている」の
パラドックスである。

あるとき、ある若者が、
ゼノンに向かって言った。

「あなたが提唱した
2つのパラドックスを、
私が同時に反証《はんしょう》してみせましょう」

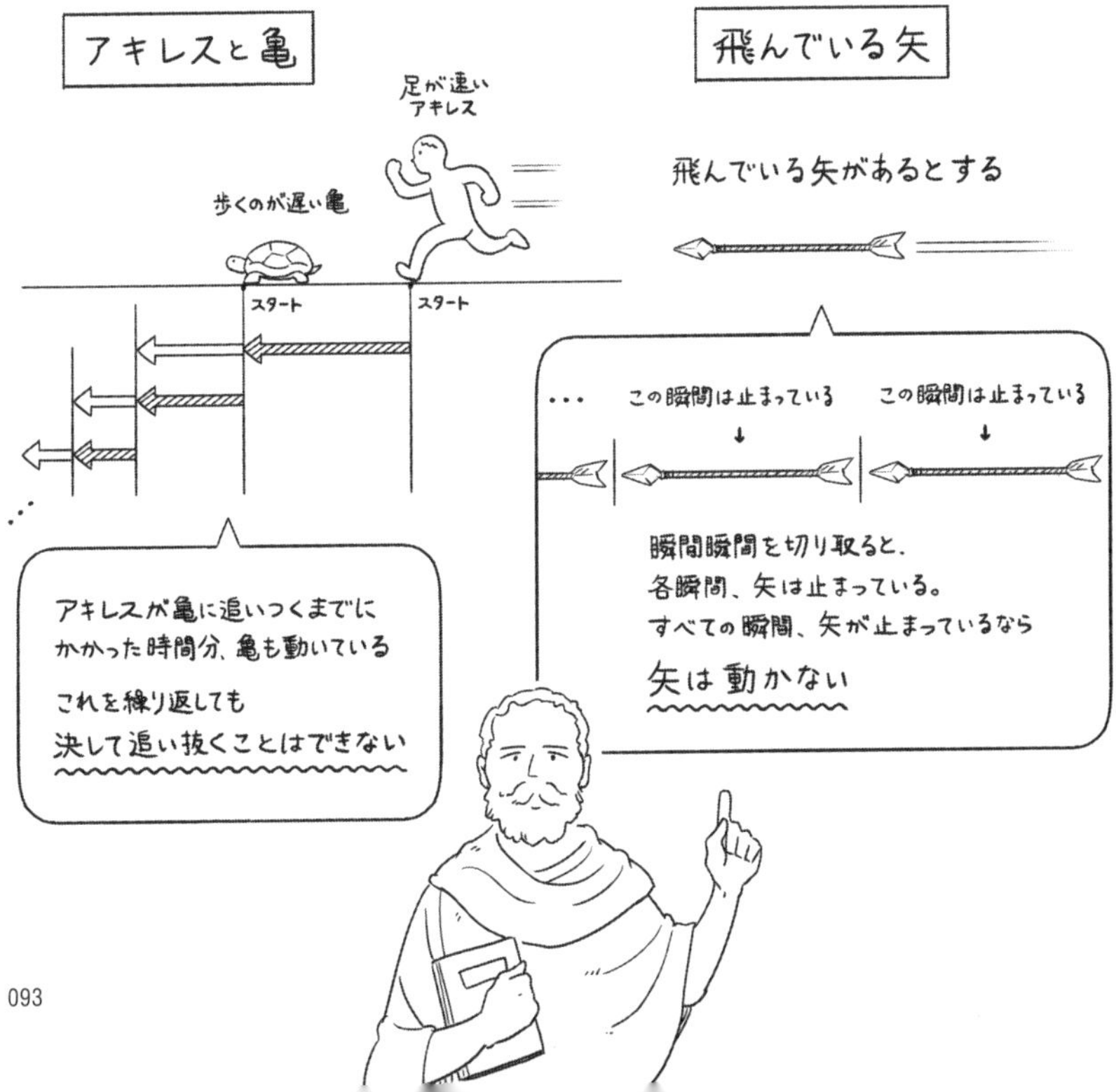

「私が同時に反証《はんしょう》してみせましょう」
そう言った若者は、ゼノンの顔に矢《や》を向けて、
冷たく微笑《ほほえ》んだ。
「さぁ、走って逃《に》げてください。
さもないと、この矢を今、
あなたに放《はな》ちますよ。
ただ、あなたが逃げても、10秒後に、
この矢をあなたの背中に向けて放ちます。
あとから追《お》いかけるものは、
前をゆくものに追いつけないのでしょう?
それに、そもそも、飛んでいる矢は
止まっているのだから、大丈夫ですよ」

第42話

なくした切符《きっぷ》

北陸《ほくりく》の海岸《かいがん》を走る特急列車《とっきゅうれっしゃ》の中――。
検札《けんさつ》の車掌《しゃしょう》の横で、一人の老女が、
服のポケット、そしてカバンの中を丹念《たんねん》に探している。
彼女の顔には、焦《あせ》りの色が浮かんでいた。
どうやら、切符《きっぷ》をなくしてしまったらしい。
彼女は、車掌に、今回の旅の目的を話し始めた。
長く生き別れになっていた娘とようやく連絡がとれ、
その娘と会う旅であること。
しかし、娘が会ってくれるか――
待ち合わせの改札口《かいさつぐち》にいてくれるかは、
行ってみないとわからないことなど。
車掌は涙《なみだ》した。そして、切符を
持っていないことをとがめないことを伝えた。
しかし、老女の顔からは、焦りの色は消えなかった。

老女は、車掌《しゃしょう》の言葉を聞いても、なおも、泣きながら切符《きっぷ》を探し続けた。

不思議《ふしぎ》に思った車掌が聞いた。

「切符は必要ないんですよ。追加の料金もいただきませんし、降車駅《こうしゃえき》で改札《かいさつ》を通れるよう、手配《てはい》をしておきますから」

老女は、目に涙《なみだ》を浮《う》かべながら、車掌にすがるように言った。

「忘れてしまったのよ。私、どこの駅で降《お》りようとしていたのか。切符を見れば書いてあると思っていたのに、その切符がなくなるなんて!!」

第43話

娘《むすめ》の長電話

家族で食卓《しょくたく》を囲《かこ》んでいるときに、
娘《むすめ》の携帯電話《けいたいでんわ》が鳴った。ナンバー表示を見て、
少し不機嫌《ふきげん》そうにしながらも、娘が会話をはじめる。
「食事しているのに、携帯電話に出るなんて」
と思ったが、今の時代、そんなことを言うほうが
非常識《ひじょうしき》だと、以前、娘から言われた。
何について話しているかわからないが、
最初、明るく話していた娘が、
だんだんと暗い表情になり、
電話で話しはじめてほぼ1時間後、最後には、
「もう電話してこないで!」と言って電話を切った。
詮索《せんさく》すると、また嫌《いや》な顔をされるだろうが、
聞かないわけにはいかなかった。
「大丈夫なのか?」

電話が原因《げんいん》なのか、冷めてしまった料理が原因なのか、娘《むすめ》は、不機嫌《ふきげん》な表情を維持《いじ》したまま言った。

「大丈夫」

全然、大丈夫そうには見えない。

「誰からの電話だったんだ？」

明らかに立ち入りすぎの質問だが、それを聞くのも、親の務《つと》めであろう。

しかし、娘は、その心配を拒絶《きょぜつ》するように言った。

「知らない」

「知らないってことはないだろう。親にも言えないのか！」

ついつい私は、声を荒《あ》らげてしまった。

娘は、そんなことに臆《おく》することもなく、軽いタメ息まじりに言った。

「本当に知らないんだからしょうがないじゃん。間違《まちが》い電話だったんだから」

第44話

つないだ手と手

私と夫の間に、もうつながりはなかった。
今、かろうじてつながっているのは、
私たち2人の間に息子がいて、
息子が私たちの手をかたく握《にぎ》っているからだ。
しかし、息子の存在が、
私たちの仲をさらに険悪《けんあく》なものにさせていた。
離婚後《りこんご》、どちらが息子を引き取り
育てるのか、もめていたのだ。
3人が歩いている前方から、自転車がやってきた。
3人が手をつないでいたら、自転車は通れない。
でも、私はこの手を放《はな》したくない。
おそらく夫も同じ気持ちだったのだろう。
お互《たが》いに、自分の側《がわ》に引き寄《よ》せるように、
強く息子の手を引っ張った。

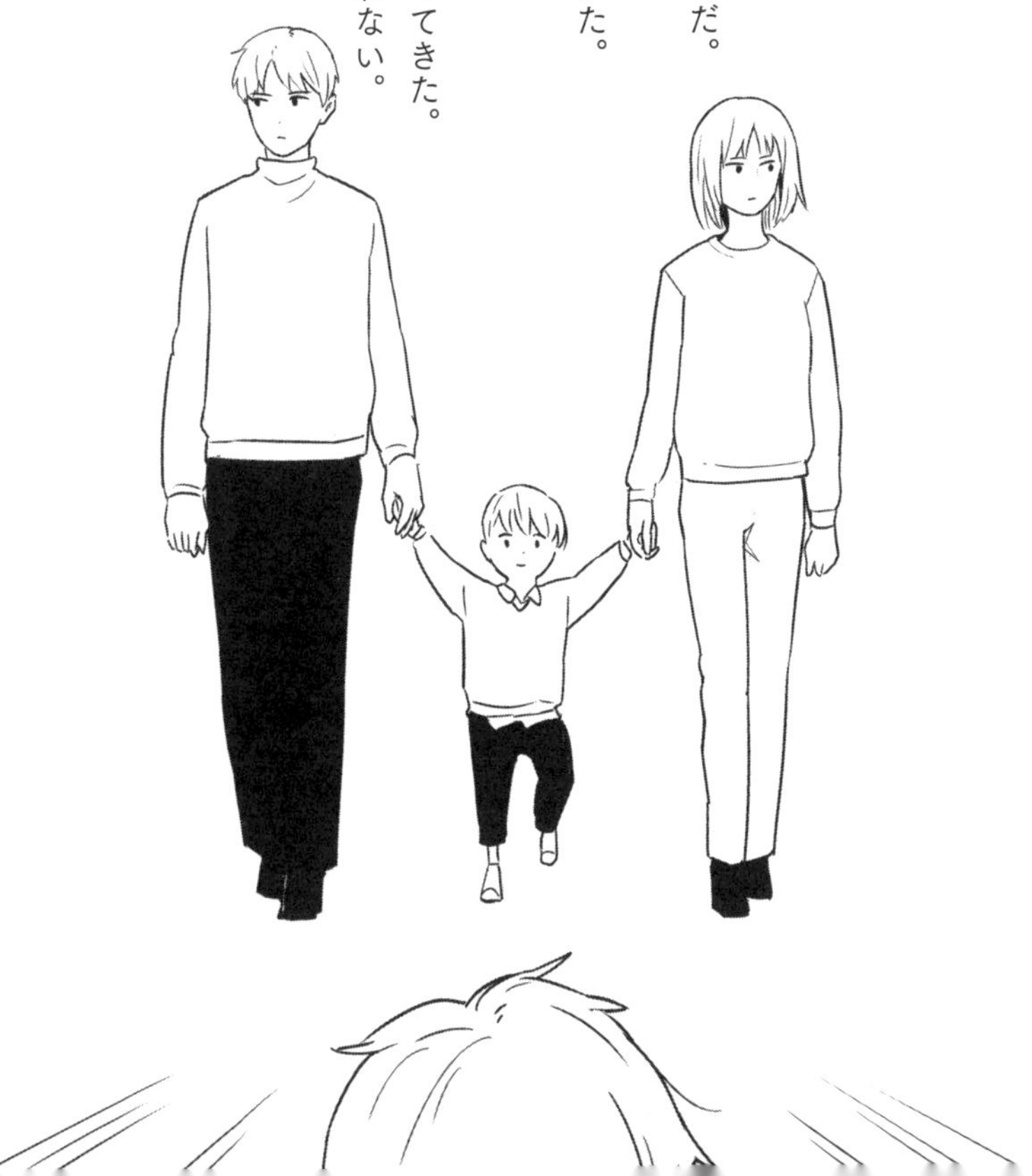

その瞬間《しゅんかん》、両側から強く手を引っ張られた息子は、
高く跳《と》び上がった。
自転車を跳《と》び越《こ》えるくらいに、
高く高くジャンプした。
息子は、興奮《こうふん》した口調で言った。
「ボク、ママとパパに
手をつないでもらっていたら、
もっと高くジャンプできる気がする。
どこまで高くとべるかな？
2人とも、ぜったいに手をはなさないでね！」

第45話

なりすまし

怪盗《かいとう》――それは、私の仕事であり、美学である。
これまでに数々の宝石や名画を盗《ぬす》んできたが、
もちろん警察につかまったことはない。
しかし、先日、大きな失敗をしてしまった。
正体を知られ、捜査《そうさ》の手がのびる前に、
私は、他人になりすますことにした。
すでに、なりすますターゲットは決めてある。
彼は、家族も、恋人・友人もいない孤独《こどく》な男で、
人生を盗むには最適《さいてき》な人物だった。
可哀想《かわいそう》だが、彼には消えてもらい、
その日から、彼の住む安アパートで暮《く》らしはじめた。
すると、玄関《げんかん》でチャイムが鳴る。
出てみると、2人の男が立っていた。
彼らは警察官だった。

私は、冷静《れいせい》を装《よそお》ってはいたが、
内心《ないしん》ではパニックに陥《おちい》りかけていた。
——何を失敗したのだろう？　なりすました彼の死体は、
特殊《とくしゅ》な薬品で消し去っているし、
顔も、親でないかぎり見分けがつかないよう、
整形手術《せいけいしゅじゅつ》で変えてある。
もちろん、血液型《けつえきがた》などが同じことも確認済《かくにんず》みだ。
そんな私の思考をさえぎるように、
警察官が私に向かって名前で呼《よ》びかけた。
それは、私がなりすました男の名前だった。そして言う。
「お前には、下着泥棒《したぎどろぼう》の容疑《ようぎ》がかかっている！」
その間にも、もう1人の警察官が部屋の中にあがり、
押し入れを開ける。すると、大量の女性用下着が、
雪崩《なだれ》を起こしたように落ちてきた。
——下着泥棒として捕《つか》まるべきか、
なりすましを白状《はくじょう》して殺人の罪《つみ》に問われるべきか。
私の「美学」に照《て》らしても、答えはでなかった。

第46話

善《ぜん》意《い》の力

僕の恋人が消えてから1週間になる。
姿《すがた》を消す前、彼女はほぼ記憶《きおく》を失《うしな》ってしまっていた。
そのきっかけは、1年前の交通事故だ。
脳《のう》へのダメージで、彼女は、自分の名前や生《お》い立《た》ち、
僕との思い出などを、しだいに失っていった。
それだけではない——
テレビで観《み》た人の名前を自分の名前だと思ったり、
新しく見聞きした他人《たにん》の人生を、
自分の人生だと勘違《かんちが》いするようになってしまったのだ。
違う人生の記憶を上書《うわが》きされていく彼女と、
僕は、どう付き合えばよいのかわからなかった。
彼女が消えたのは、そんな矢先《やさき》のことだった。
しかし、彼女が消えてはじめて僕は気づいた。
僕が、彼女に寄《よ》り添《そ》わなければいけなかったことに。

――そんな内容の投稿《とうこう》を、僕はＳＮＳにあげた。
そして、さまざまなアングルからの
彼女の写真もつけて、情報提供《じょうほうていきょう》を呼《よ》びかけた。
直後から、目撃情報《もくげきじょうほう》が集まること、集まること。
僕は、捜査本部《そうさほんぶ》で指揮《しき》をとる、
捜査本部長のような気分になった。
この、「善意《ぜんい》」を使用する方法は、
今後も使えるなと、自分をほめてやりたい。
まったくデタラメな情報も混《ま》じっているだろうが、
目撃地点が重なっているところは信憑性《しんぴょうせい》も高いはずだ。
彼女は、別な名前を名乗っているかもしれないが、
ＳＮＳにあげた内容では、その予防線《よぼうせん》を張《は》っている。
こんなにも愛してやっているのにもかかわらず、
彼女は、僕のことを「ストーカー」呼《よ》ばわりして、
僕の前から姿《すがた》を消した。
今や、僕の部下として働《はたら》く「善意」の力を、
「なめるなよ！」と言ってやりたいものだ。

第47話

語られた動機

集められた容疑者《ようぎしゃ》の中から、
一人の美女を指さし、名探偵《めいたんてい》は言った。
「犯人は、貴女《あなた》だ！
密室《みっしつ》のトリックも、アリバイのトリックも、
先ほど説明した通り、すべて見破《みやぶ》っている。
しかし、動機《どうき》だけがわからない。
なぜ、貴女は、
彼を殺さなくてはいけなかったんだ！」
犯人と名指しされた美女は、
悲しそうに微笑《ほほえ》むと、重い口を開いた。
彼女の告白《こくはく》を聞くと、
その場にいた全員、そして探偵も、涙《なみだ》を流した。

最初、テレビの音声が消えたことに
気づかなかった妹は、
犯人と名指しされた美女が、
無言を貫《つらぬ》いているのかと思った。
しかし、テレビの画面の中では、
悲しそうな微笑《ほほえ》みをたたえながら、
美女は、口をパクパクと動かしている。
何かがおかしい——。
原因はすぐにわかった。
ソファの隣《となり》で、
寝《ね》っ転《ころ》がって本を読んでいる兄が
お尻《しり》でテレビのリモコンを
踏《ふ》んづけていたのだ。
おそらく、「消音」のボタンを
押してしまったのだろう。

お兄ちゃん、だらしなく
ソファに寝そべって、
リモコンの消音押さないで！
いちばん大事なとこ、
聞き逃しちゃったじゃない！
消音

※前ページのフキダシの中に文字がないのは、
オチのための演出です。

第48話
鬼《おに》の襲来《しゅうらい》

その鬼《おに》は、山の奥の洞穴《ほらあな》に独《ひと》りで棲《す》んでいた。
そして、毎月、満月の夜になると
ふもとの村に降《お》りて、大暴《おおあば》れし、
村人たちが大事にためていた食糧《しょくりょう》や
金銀財宝《きんぎんざいほう》を奪《うば》い去《さ》っていった。
最初、鬼に抵抗《ていこう》していた村人も、
それが無駄《むだ》なことだと知り、
満月の日になると、村の中央の広場に、
たくさんの財宝や食糧を置くようになった。
ひとしきり暴れたあと、
それらを自分の住処《すみか》に持ち帰ることが、
鬼の毎月の行いとなった。

満月の日、鬼《おに》が、
住処《すみか》である洞窟《どうくつ》から出てくるのを
物陰《ものかげ》から見ていた村人たちは、
急いで洞窟の中に入っていった。
そして、金銀財宝《きんぎんざいほう》を荷台《にだい》に積《つ》み込むと、
鬼より先に村に戻《もど》って、
広場にその金銀財宝を
積み上げるべく、
村への近道を急いだ。

第49話

打《う》ち出《で》の小槌《こづち》

一寸法師《いっすんぼうし》は、鬼《おに》の身体《からだ》の中に入り、
持っていた針《はり》で、
鬼の腹《はら》の中をめった刺《ざ》しにした。
たまらず鬼は、
一寸法師を吐《は》き出し、逃《に》げ出した。
そのとき、鬼が落としていった
打《う》ち出《で》の小槌《こづち》を振《ふ》ると、
一寸法師の背《せ》は大きくなり、
一寸法師とお姫様《ひめさま》は結婚した。
また、打ち出の小槌からは、
金銀財宝《きんぎんざいほう》もでてきて、一寸法師とお姫様は、
幸せに暮らしたとさ。
めでたし、めでたし。

鬼《おに》が、住処《すみか》である洞窟《どうくつ》から出て行くのを確認すると、
村人たちは、金銀財宝《きんぎんざいほう》を積《つ》み込《こ》みはじめ、
ひとしきり、鬼の馬鹿《ばか》さ加減《かげん》を笑い合った。
一人の若者が首をかしげて言った。
「そもそも、こんな金銀財宝が、
なんでうちの村にあるんだろう?」
それに答えるように、もう1人の男が言った。
「なんでも、昔、この村を作った人間が、
鬼を退治《たいじ》して、そのときに、『打《う》ち出《で》の小槌《こづち》』って
いう道具を奪《うば》い取《と》ったそうだ。
その小槌は、振《ふ》れば、金銀財宝がでてきたらしい。
ただ、使いすぎて、今では、ただの小槌になって
しまったらしいがな」
若者は、それを聞いて、ニヤニヤ笑いながら言った。
「じゃあ、この金銀財宝は、もともと鬼のもの?」
「そういうことだな。まぁ、すべて、退治《たいじ》されたり、
頭が悪い、鬼の自己責任《じこせきにん》だ!」

第50話
連載《れんさい》ミステリー

新聞に毎週連載《れんさい》されていた、その推理小説《すいりしょうせつ》は、
連載の最中《さいちゅう》からドラマ化、
映画化が決定するほどの
超人気作品となり、
「国民的小説」とまで言われた。
一見不可能《いっけんふかのう》にも思える連続殺人。
謎《なぞ》に包《つつ》まれたトリックと動機《どうき》。
次々と現れる、怪《あや》しげな容疑者《ようぎしゃ》たち。
そして登場した、頭脳明晰《ずのうめいせき》で魅力的《みりょくてき》な探偵《たんてい》。
明日は、連載《れんさい》の最終回が掲載《けいさい》される日。
多くの人々が、
翌日の新聞を楽しみに待った。
翌日――。
新聞を開いた人々は、衝撃《しょうげき》の結末を目にした。

そこには、連載小説を書いていた作家の自殺未遂《じさつみすい》を報《ほう》じる記事が掲載《けいさい》されていた。
作家は、プレッシャーと罪《つみ》の意識《いしき》にさいなまれ、小説の結末が書けず、自殺をはかったと報じられていた。
残されていた遺書《いしょ》には、
トリックも動機《どうき》も思いつかないまま、
書き進めてしまったこと、
ようやく考えついた画期的《かっきてき》なトリックが、
ネット上のファンを称《しょう》する人々の「結末予想《けつまつよそう》」にことごとく見透《みす》かされ、もういっそのこと、
しょうもない終わらせかたで誤魔化《ごまか》そうとしたけど、
ドラマ化や映画化も決まり、
逃《に》げられなくなったことなど、
自殺を考えた理由がつづられていた。
そして最後に、自分の才能のなさを詫《わ》びつつも、
「私を死に追《お》い込んだのは、あなたがたなのです」
という、悪意《あくい》なき読者への恨《うら》みがつづられていた。

第51話

連載《れん さい》ミステリー（マンガ版）

週刊誌《しゅうかんし》に連載《れんさい》されていた、
その推理《すいり》マンガは、
連載の最中《さいちゅう》からドラマ化、
映画化が決定するほどの超人気作品となり、
「国民的推理マンガ」とまで言われた。
超絶《ちょうぜつ》なテクニックで描かれた絵柄《えがら》、
謎《なぞ》が謎を呼《よ》ぶストーリー、
魅力的《みりょくてき》な登場人物たちの会話……。
物語はいよいよ佳境《かきょう》に入り、
次号からはじまる解決編《かいけつへん》を、
すべての読者が楽しみに待った。
そして、雑誌の発売日。
雑誌を買ったすべての読者が、
驚《おどろ》きの声を上げた。

表紙には、そのマンガのタイトルが載《の》っているのに、
そのマンガは掲載《けいさい》されていない。
「作者急病《きゅうびょう》のため休載《きゅうさい》になったが、
表紙の印刷《いんさつ》は先に進めていたため、訂正《ていせい》が間に合わなかった」
という理由と、編集部《へんしゅうぶ》のお詫《わ》びの言葉が書かれていた。
しかし、その後、作者の病気が長く続き、
1年間の休載《きゅうさい》の果《は》てに、とうとう連載は打ち切られた。
そして、編集部による、連載中止の理由が掲載《けいさい》された。
作者がトリックを考えないまま物語を書き進めたこと、
でも、読者がネット上で展開《てんかい》の予測《よそく》をするだろうから、
その中でいちばん面白いアイデアを使おうと思ったこと、
なのに、以前起きた、推理小説家《すいりしょうせつか》の自殺未遂騒動《じさつみすいそうどう》で、
ネットユーザーたちが書き込みを自粛《じしゅく》し、
「展開予測《てんかいよそく》」がされなくなり、
物語が行《い》き詰《づ》まってしまったことなどが、
お詫《わ》びの言葉とともに記《しる》されていた。

第52話
フリーマーケットにて

フリーマーケットで、1人の女性が、乳幼児《にゅうようじ》向けの衣類《いるい》や靴《くつ》を売りに出していた。
静かにたたずむその女性の前には、手書きの看板《かんばん》が立てかけられている。

その看板《かんばん》には、小さな文字で、
こんな言葉が添《そ》えられていた。

※本作は、「ヘミングウェイ作」といわれることもある、作者不明の「世界一短い小説」を翻案。

第53話

のぞき

僕が住んでいるのは、築《ちく》数十年の古《ふる》アパートの一室である。
部屋のどこかに隙間《すきま》でもあるのか、
たまに部屋に変なニオイが漂《ただよ》ってくることがある。
両隣《りょうどなり》のどちらかの部屋から、ニオイが入り込んでいる気がする。
右隣に住むのは、「なぜ、こんなアパートに？」
と思うような、若くて美しい女性。
左隣に住むのは、得体《えたい》の知れない白髪《はくはつ》の老人《ろうじん》。
僕は、部屋に隙間がないか、きちんと調べることにした。
予想に反《はん》して、そのゴルフボール大の穴《あな》は、
右隣の部屋との仕切《しき》りになっている壁にあいていた。
今まで、テレビを置いていたため、気づかなかったのだ。
僕は、ニオイとは違う好奇心《こうきしん》にとらわれた。
もしかしたら、この穴から、隣室《りんしつ》が見えるかもしれない。
僕は、這《は》いつくばるようにして穴をのぞいた。

こちらを見つめる、その赤い眼球《がんきゅう》が、
隣《となり》の女性のものなのか、
あるいは、彼女とは別の、
もう生きてはいない
人間のものだったのかはわからない。
ただ、あの怖《おそ》ろしい視線《しせん》に、
二度とからめとられることが
ないことだけが幸運である。
なぜなら、僕は、あの日以来、
視力《しりょく》を失《うしな》ってしまったのだから。

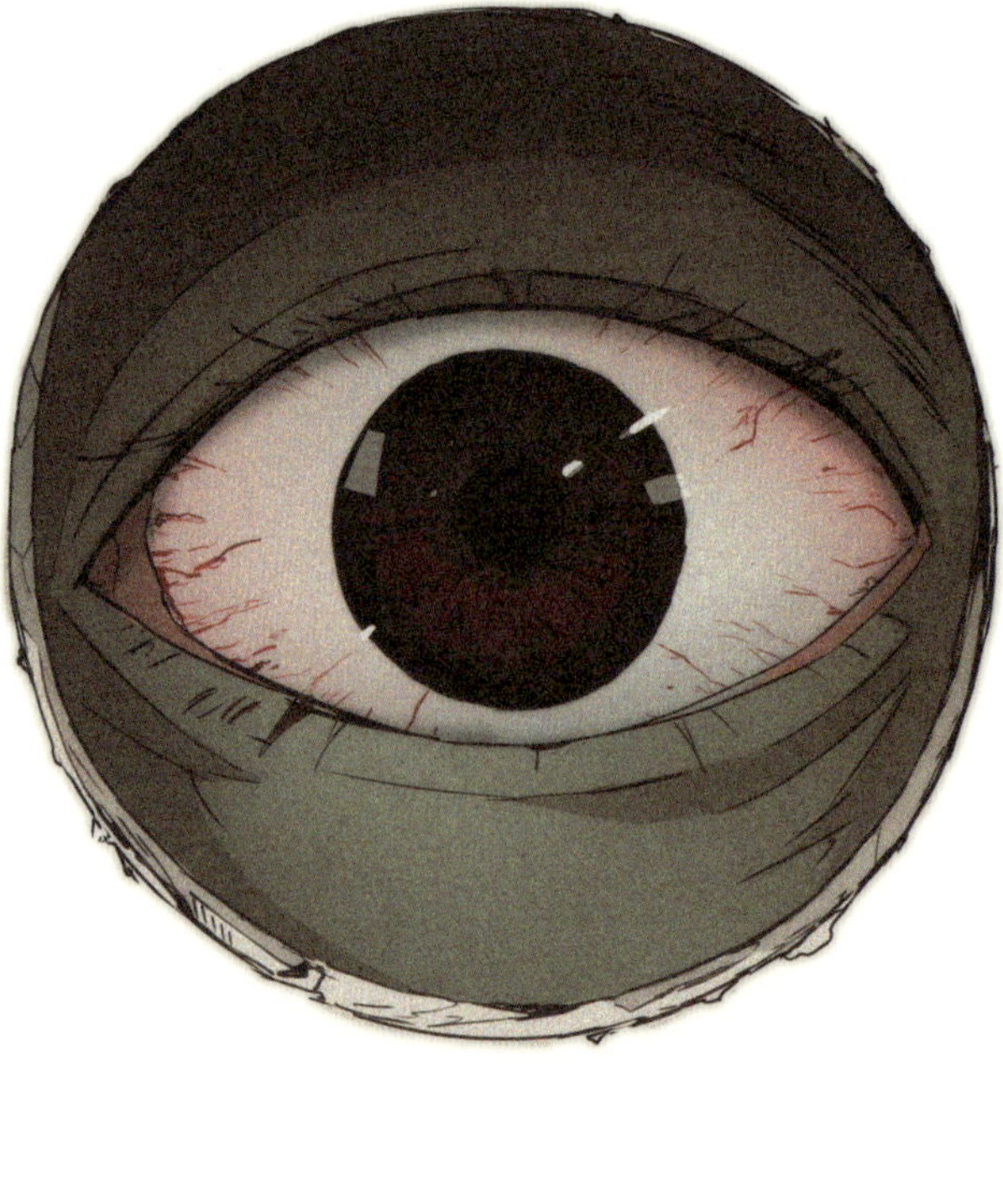

第54話

詩の解釈《かいしゃく》

国語の授業——。

教師が、黒板に書かれた短歌《たんか》を読み上げた。

白鳥《しらとり》は 哀《かな》しからずや 空の青

　　海のあをにも 染《そ》まずただよふ

「これは、明治時代の歌人《かじん》・若山牧水《わかやまぼくすい》が詠《よ》んだ、彼の代表的な短歌です」

すると、1人の生徒が質問した。

「どういう意味なんですか?」

「空の青色にも、海の青色にも染《そ》まらない白鳥《しらとり》は、なんと哀《かな》しいのだろう、という意味です。世の中に染まることのない清純《せいじゅん》な魂《たましい》を、白鳥に喩《たと》えた、と解釈《かいしゃく》されています」

教師の説明に納得できなかったのか、
先ほど質問した生徒が、
不満《ふまん》そうに続けた。
「だから、その、
『空の青』とか『海の青』っていう
ところの意味が、全然わからないんです。
だって、空とか海って、
全然青くないじゃないですか」
そう言って彼は、
教室の窓《まど》から、外の風景を見渡《みわた》す。
２１××年の日本——。
産業の発達にともなう
汚染《おせん》と兵器の使用により、
地球の環境《かんきょう》は一変《いっぺん》し、空も海も、
血で染《そ》められたような
「赤」で覆《おお》われていた。

第55話

オール・フォー・ワン！

男は、犬が大好きだった。
犬のためなら、自分の命《いのち》を差し出してもいい、
と思うほど犬のことを愛していた。

犬たちも、男のことが大好きだった。
もう男に会えないことだけが、
犬たちにとって寂《さみ》しいことだった。

第56話

理解者《りかいしゃ》

その画家は、難解《なんかい》なモチーフを描《か》くことで有名だった。
しかし、彼には、よき作品の理解者《りかいしゃ》もいた。
その一人である、美術館の館長が言った。
「美術館のリニューアルオープンのために、
是非《ぜひ》、作品を1点、制作《せいさく》していただけないだろうか」
画家は、ふたつ返事で了承《りょうしょう》し、
先週、作品を美術館に納品《のうひん》した。
今日は、美術館のオープンの日。
「美術館のいちばんいい場所に飾《かざ》らせてもらった」
と館長が言った、自分の作品を観《み》にきたのだ。
有難《ありがた》いことに、本当によい場所に作品は飾られていた。
そして、ギャラリーに、館長自《みずか》らが、
作品の解説をしてくれていた。

一通《ひととお》り、館長の説明が終わると、
ギャラリーは、
次の展示作品のほうへ移動する。
まばらになった客の中に、
画家の姿《すがた》を見つけて、
館長が近づいて言った。
「本当に有難《ありがと》う。君の作品も評判《ひょうばん》がよくて、
美術館にも大勢の人が来てくれているよ」
画家は、弱々《よわよわ》しい笑顔で、館長に言った。
「それは、嬉《うれ》しいことだね。僕の絵を、
こんなにいい場所に飾《かざ》ってくれて嬉しいよ。
……それはさておき、この僕の絵、
上下逆《さか》さまに飾ってあるのは、
何か深い理由があるのかな？」

この僕の絵、上下逆さまなんだけど、何か意味があるのかな？

第57話

イカロスの墜落《ついらく》

以前、自分の作品が、上下逆《さか》さまに飾《かざ》られてから、
画家は、作風《さくふう》をガラリと変えた。
「結局、自分の作品は、理解《りかい》されていなかったんだ。
もっとわかりやすい――
神話《しんわ》なんかをモチーフにした作品を
描《か》かなきゃダメなんだろう」
ある日、またあの美術館から、
作品の制作《せいさく》の依頼《いらい》があった。
画家は、ギリシア神話から題材をとり、
「イカロスの墜落《ついらく》」という作品を描き上げた。
太陽に近づくほど高く翔《と》び、
ロウで作った羽が溶《と》けて海に墜落《ついらく》したという
「イカロス」を描いた作品である。

そしてまた、展示《てんじ》を見に行って、
今度は、怒《いか》りを爆発《ばくはつ》させた。
「これは、どういうことなんだ！
また、作品が逆《さか》さまに
展示されているじゃないか！
タイトルに、『墜落《ついらく》』ってあるだろう？
頭から落ちているって、わかるだろう!?」
館長は、申し訳なさそうに言った。
「忙《いそが》しくて、作品のタイトルまで見ていなかった…。
本当に申し訳ない。しかし、もうこの向きで
展示してしまっているから、
今さら向きを変えるのは…。
どうだろう、ひとつ相談なんだが、
作品のタイトルを、『イカロスの昇天《しょうてん》』に
変えてもらえないだろうか。
墜落して死んだら、
結局、『昇天』するんだろうし…」

第58話
一《ひと》つ目《め》小《こ》僧《ぞう》

江戸の町で、ある見世物小屋《みせものごや》が、
大人気となっていた。
その見世物小屋では、
本物の妖怪《ようかい》「一《ひと》つ目《め》小《こ》僧《ぞう》」が見られたからだ。
そのことに嫉妬《しっと》した、
競争相手《きょうそうあいて》の見世物小屋の主《あるじ》は、
山の奥《おく》へと入っていった。
山の奥に、一つ目小僧の村が
あるという噂《うわさ》を聞き、
そこで、一つ目小僧を捕《つか》まえようとしたのだ。

しかし、山に入ってから3ヵ月以上経《た》っても、
見世物小屋の主は戻《もど》ってはこなかった。

心配になった見世物《みせもの》小屋《ごや》の従業員《じゅうぎょういん》は、
主《あるじ》のあとを追《お》って、山の奥《おく》へと入っていった。
そして、10日ほど山の奥に入っていった先に、
「一《ひと》つ目《め》小僧《こぞう》」の村はあった。
それは、小さな村ではあったが、
多くの一つ目小僧たちが暮《く》らしていた。
しかし、主《あるじ》の姿《すがた》は、どこにも見当たらない。
村の中心部に、多くの人々が集まる場所がある。
そこに行けば、何か手がかりが
つかめるかもしれない。
従業員は、顔を隠《かく》し、こっそり中をのぞいた。
大歓声《だいかんせい》とともに、
オリに入れられた何かがやってきた。
それは、髪《かみ》とヒゲがボサボサに伸《の》びた主だった。
オリには、大きな文字で、こう書かれていた。
「二つ目小僧」
そこは、この村の見世物小屋だった。

第59話

フグの毒《どく》

江戸時代、フグは庶民《しょみん》には手の届《とど》かない貴重《きちょう》な食材だった。

あるとき、一人の男がフグを入手した。毒《どく》の処理方法《しょりほうほう》などはわからなかったが、フグを食べてみたい、という好奇心《こうきしん》が勝《まさ》り、自分で調理し、フグを食べた。

はじめて食べたフグの味は、想像を絶《ぜっ》するほどの美味《おい》しさだった。

しかし、食べているうちに、手足がしびれ、身体が震《ふる》えはじめた。毒が回ったのだ。

すぐに町医者《まちいしゃ》が呼ばれたが、医者にはどうすることもできない。

医者は悲しそうに、首を横に振《ふ》るばかりだった。

医者の様子から、
自分は助からないと知った男は、
心配そうに見守る、自分の妻《つま》に言った。
「俺は、もう助からねぇみてぇだ。
まだ、さばいていねぇフグがあるだろ。
あれを、すぐにさばいて、
全部持ってきてくれ。
どうせ死ぬなら、全部食ってやらぁ」

第60話

ストーカー

一人の女子大学生が、友人である男子学生に相談《そうだん》した。
「私、ストーカーに狙《ねら》われているかもしれない。
いつも、誰かに尾行《びこう》されている気がするし、
部屋の中にいても、
誰かに見られている感じがするの」
しかし、男子学生は、
その悩《なや》みを笑い飛ばした。
「ないない、絶対にそれはないって！」
真剣《しんけん》に相談しているのに、軽く笑われたため、
女子大生は怒《いか》りを覚えずにはいられなかった。
「なんで、少し話を聞いただけで、
そんなことが言えるの！
私、あなたのことを信頼《しんらい》しているから、
こうやって相談しているんだよ‼」

男子学生は、それでも笑いながら言った。

「ごめんごめん。悪気《わるぎ》はなかったんだ。でも、ストーカーは、キミの勘違《かんちが》いだから、安心して」

しかし、女子大学生の怒《いか》りは収《おさ》まらない。

「だから、どうして、そんなことが言えるのよ！」

男子学生が屈託《くったく》のない笑顔で説明した。

「だって、キミは気づいていないかもしれないけど、僕は、ほぼ毎日、キミのあとをつけたり、やっていることを陰《かげ》から見守っているんだぜ。

でも、そんなストーカーみたいな奴《やつ》、一度だって見たことないよ。

それに部屋の中だってそう。

監視《かんし》カメラで、キミの部屋を警備《けいび》しているけど、部屋の中で誰かに見られているなんて、あり得《え》ないよ。

ゴキブリの視線《しせん》を感じるとか、そういうのじゃない？」

たしかに、それは、ゴキブリかもしれない。

女子大学生は、目の前にいるゴキブリを冷《つめ》たく見下《みお》ろした。

第61話

大切な人形

5歳《さい》の誕生日《たんじょうび》に、両親からプレゼントされたのは、
可愛《かわい》いドレスを着た、女の子の人形だった。
わたしは、その人形が気に入って、
いつも、その人形と遊んだ。
ただ、力の加減《かげん》のわからない子どもだったから、
人形の身体《からだ》の一部が傷《いた》んだり、
ドレスがほつれたりすることはしょっちゅうで、
そのたびに母親に修繕《しゅうぜん》してもらっていた。
母は、少し怒《おこ》りながらも、
人形を直してくれた。
ある日、人形を乱暴《らんぼう》に振《ふ》り回《まわ》したせいで、
人形の首の部分がとれてしまった。
私は、泣きながら母親に、
人形を直してくれるよう、お願いした。

1時間後、庭《にわ》で何かをしていた母が、私を呼《よ》んだ。
落ち葉を集めて、たき火をしていたようだ。
母が、手に持った箱《はこ》を私に渡《わた》し、悲しそうに言った。
「お人形さんに、お別れを言いなさい」
箱を開けてみると、そこには、
まだ首がとれたままの人形が収《おさ》められていた。
意味がわからず呆然《ぼうぜん》としていると、
母が、奪《うば》うようにして、私から箱をとり、
そのまま、たき火の中に箱を入れ、燃《も》やしてしまった。
私は、突然《とつぜん》のことにわけがわからず、
泣きながら母に抗議《こうぎ》した。母は言った。
「妹だと思って大事にしなさいって
言ったわよね。
腕《うで》や足が、少し傷《きず》ついても、
人間は死なないけど、
首がとれてしまったら、人間は死んでしまうの。
これは、人形さんのお葬式《そうしき》よ」

第62話

感謝の言葉

父上様、母上様、三日《みっか》とろろ美味《おい》しゅうございました。
干《ほ》し柿《がき》、餅《もち》も美味しゅうございました。
敏雄兄、姉上様、おすし美味しゅうございました。
克美兄、姉上様、ブドウ酒とリンゴ
美味しゅうございました。
巌兄、姉上様、しそめし、南《なん》ばん漬《づ》け
美味しゅうございました。
喜久蔵兄、姉上様、ブドウ液《えき》、養命酒《ようめいしゅ》
美味しゅうございました。
またいつも洗濯《せんたく》ありがとうございました。
幸造兄、姉上様、往復車《おうふくしゃ》に便乗《びんじょう》させて戴《いただ》き有難《ありがと》うございました。
モンゴいか美味しゅうございました。
正男兄、姉上様、
お気を煩《わずら》わして大変申しわけありませんでした。

幸雄君、秀雄君、幹雄君、敏子ちゃん、ひで子ちゃん、
良介君、敦久君、みよ子ちゃん、ゆき江ちゃん、光江ちゃん、
彰君、芳幸君、恵子ちゃん、幸栄君、裕ちゃん、
キーちゃん、正嗣君、立派《りっぱ》な人になって下さい。父上様、母上様。
幸吉《こうきち》はもうすっかり疲《つか》れ切《き》ってしまって走れません。
何卒《なにとぞ》お許《ゆる》し下さい。気が休まることもなく御苦労《ごくろう》、御心配《ごしんぱい》を
お掛《か》け致《いた》し申しわけありません。
幸吉は父母上様の側《そば》で暮《く》らしとうございました。

１９６４年の東京五輪で銅《どう》メダルを獲得《かくとく》した
マラソンランナーの円谷幸吉《つぶらやこうきち》は、
期待《きたい》された、次のメキシコ五輪《ごりん》の直前、
メダルに対する期待の重さ、焦燥感《しょうそうかん》から、自ら命《いのち》を絶《た》った。
彼の書いた遺書《いしょ》には、
美味《おい》しかった食べ物の想い出と、
家族や親戚《しんせき》の人々への
感謝《かんしゃ》の言葉がつづられていた。

第63話

被害者《ひがいしゃ》たちの行方

連続誘拐事件《れんぞくゆうかいじけん》の容疑者《ようぎしゃ》がつかまった。
その事件は、同じくらいの年齢《ねんれい》、背格好《せかっこう》の女性が、
自宅から連れ去られるという事件であったが、
犯行現場には、血痕《けっこん》などは残されていたものの、
証拠《しょうこ》は見つかっておらず、
多くの被害者《ひがいしゃ》は、その生死《せいし》もわからない状況であった。
犯行が発覚《はっかく》したのは偶然《ぐうぜん》だった。
ターゲットとされた女性が格闘技経験者《かくとうぎけいけんしゃ》で、
襲《おそ》いかかってきた犯人を撃退《げきたい》したのだ。
現行犯逮捕《げんこうはんたいほ》した警察《けいさつ》は、その犯人を、
連続誘拐事件の容疑者だと考えた。
しかし、容疑者は、逮捕後も黙秘《もくひ》をつらぬき、
被害者たちの行方《ゆくえ》はおろか、
その容疑者が誰なのかさえも、わからなかった。

被害者《ひがいしゃ》たちの命《いのち》に危機《きき》が迫《せま》っていた。
もし監禁《かんきん》されているならば、
彼女たちは、食事も取ることができないはずだからだ。
警察は、公開捜査《こうかいそうさ》に踏《ふ》み切《き》った。
容疑者《ようぎしゃ》の写真を公開して、
彼が誰なのかを特定《とくてい》しようとしたのだ。
情報はすぐに集まりはじめた。
容疑者は、全国の小学校の理科室用に、
科学教材を製作《せいさく》している人物だと考えられた。
ある情報提供者《じょうほうていきょうしゃ》は、こう言った。
「彼、会社ではなく、個人で理科室用の教具《きょうぐ》を
作っている人物に間違いないよ。
彼が作る製品、すごくクオリティが高くて
すごく評判《ひょうばん》がよかったようだよ。
特に、人体の全身骨格模型《ぜんしんこっかくもけい》なんて、
骨《ほね》の重さまで、本物と同じにしているって
聞いたことがあるよ」

第64話

蜜柑《みかん》

江戸時代、大きな呉服屋《ごふくや》の娘《むすめ》が
不治《ふじ》の病《やまい》に冒《おか》された。
病床《びょうしょう》の娘は、「最後に蜜柑が食べたい」と言った。
両親は、娘の願いを聞いてあげたいと考えたが、
当時、果物《くだもの》は、いつでも食べられるものではなく、
その季節に蜜柑を入手することは、
不可能《ふかのう》に近いことだった。
しかし、両親はあきらめなかった。
金ならいくらでもあったから、
１００両という大金を使って、
全国から、10個の蜜柑を集めさせた。
呉服屋《ごふくや》で働く奉公人《ほうこうにん》たちは、
お盆《ぼん》に乗せられた蜜柑を見て、
「蜜柑１個が10両か…」とため息をついた。

翌日《よくじつ》、1人の奉公人《ほうこうにん》が、店から姿《すがた》を消した。
それと同時に、
お盆《ぼん》に乗せられていた10個の蜜柑《みかん》のうち、
半分の5個がなくなっていた。
呉服屋の主《あるじ》は激怒《げきど》した。
「あいつが蜜柑《みかん》を盗《ぬす》んで逃《に》げたに違いない。
蜜柑は、娘《むすめ》には必要なものだが、
あいつには必要ないだろう！」
すると、奉公人の1人が、おずおずと言った。
「昨日、私たち、『蜜柑1個が10両か…』なんて
話をしておりまして…。
思い出したのですが、あの男、
故郷《こきょう》に病気の母親がいて、
なんでも、治《なお》すための薬代《くすりだい》が、50両だそうで…」
主は、娘の蜜柑を盗まれたという怒りとは違う、
やり場のない怒りと悲しみが
こみ上げてくるのを感じた。

第65話

友人とライバル

男は、将来《しょうらい》を期待された、走り幅跳《はばと》びの選手だった。
そんな彼が、交通事故に遭《あ》い、片足を失《うしな》った。
五輪でメダルを取ることも期待されていただけに、
本人の絶望感《ぜつぼうかん》は、想像を絶《ぜっ》するものだった。
しかし、そんな彼を支えたのは、
同じ国内で代表の座《ざ》を争《あらそ》っていた友人や、
五輪でメダルを争うことになったであろう、
外国のライバル達だった。
彼らは、男に、「パラリンピックを目指《めざ》す」、
という道を教え、男の復活《ふっかつ》をサポートした。
男は、つらいリハビリを乗《の》り越《こ》え、
メキメキと記録を伸ばし、
パラリンピックの代表選手の座を射止《いと》めた。
男は、友人やライバル達の支援《しえん》に涙《なみだ》した。

しかし、男は、自分の可能性を信じていた。
事故に遭《あ》う前よりも厳《きび》しい練習を重ね、
ついには、かつての自己記録《じこきろく》を更新《こうしん》もした。
「パラリンピックではなく、オリンピックを目指そう」
男は決意した。
同じフィールドで戦うことが、
自分を支えてくれた友人やライバルへの
感謝《かんしゃ》になると考えたのだ。
しかし、それは簡単なことではなかった。
彼がオリンピックに挑戦《ちょうせん》することへの
反対運動が起こり、その署名《しょめい》まではじまったのだ。
「足にブレードをつけて競技《きょうぎ》をするのは、
生身《なまみ》の肉体《にくたい》よりも有利になるのではないか？」
というのが、その理由であった。
そして、その反対運動を主導《しゅどう》していたのは、
かつて自分を支えてくれた友人やライバルであった。
男は、決意した。競技を引退《いんたい》することを。

第66話

口紅《くちべに》

じっくりと時間をかけ、
鏡《かがみ》に向かってメイクをしていた女性が、
最後に口紅《くちべに》を塗《ぬ》りながら言った。
「いかに完璧《かんぺき》なメイクをするかで、
これからはじまる恋愛ドラマが、
どういう結末《けつまつ》になるかが決まるのよ」

それを聞いたココ・シャネルは言った。
「口紅《くちべに》は、塗《ぬ》る過程《かてい》じゃなく、
落ちる過程《かてい》にこそ、
ドラマがあるんじゃない？」

第67話

プラチナチケット

今日は、私が愛するアーティストのコンサートの日。
チケットはものすごい倍率《ばいりつ》であったが、
幸運なことに当選し、入手できたのだ。
会場が見えると、私は、興奮《こうふん》で小走りになった。
そのとき、後ろから強い衝撃《しょうげき》を覚えた。
私と同じくファンであろう女性が、
後ろからぶつかってきて、
謝《あやま》りもせずに走り去っていった。
瞬間《しゅんかん》、強い違和感《いわかん》を覚え、ポケットを探《さぐ》った。
「チケットがない！」
私は、その女を追《お》いかけ捕《つか》まえ、怒鳴《どな》りつけた。
「チケットを出せ！」
私の怒《いか》りの表情に気圧《けお》されたのか、
女は、抵抗《ていこう》することもなく、チケットを返してきた。

私は、警察《けいさつ》に通報《つうほう》することをしなかった。
そんなことをして、事情聴取《じじょうちょうしゅ》にでもなったら、
コンサートが観《み》られなくなってしまうからだ。
私は席に座り、携帯《けいたい》の電源《でんげん》を切るために、
バッグの中の携帯を探した。
そのとき、バッグの中に変なものを見つけた。
それは、このコンサートのチケットである。
――なぜ、ここにチケットが？
そして思い出した。
ポケットに入れておくと落としてしまうから、
チケットをバッグの中に移《うつ》し替《か》えたことを。
世の中はせちがらいものだ。
私は、警察には通報しなかったのに、
あの女は、どうやら警察に通報したらしい。
入り口付近で、こちらを指さして、
警察官に何かを訴《うった》えている女の姿《すがた》が見えた。

第68話
父の死

遺体《いたい》安置所《あんちじょ》に置かれた父親の遺体《いたい》に駆《か》け寄《よ》って、娘《むすめ》が半狂乱《はんきょうらん》になって泣《な》き叫《さけ》んだ。

「お父さん、なんで死んじゃったの!」

信号無視をして交差点につっこんだ暴走車《ぼうそうしゃ》によって、父親の命が、無慈悲《むじひ》にも奪《うば》われたのだ。

「お父さん、なんで、なんで死んだの…」

娘の言葉は、後半、かすれるようになり、周囲の人々の耳には届《とど》かなかった。

しかし、もし彼女のすぐそばに誰かがいたのなら、その言葉を聞き逃《のが》さなかったかもしれない。

「お父さん、なんで、なんで死んだの…。

なんで今日なの…。

なんで死ぬのを明日にしてくれなかったの？

お父さんだって知ってるよね。

今日、私が楽しみにしていた、
あのグループのコンサートだよ。

すごい倍率《ばいりつ》のプレミアムチケットだけど、
奇跡的《きせきてき》に当選《とうせん》したんだよ。

もう少しで、コンサートの開演時間だよ。

私、どうしたらいいの…」

今日のコンサート、せっかくチケットがとれたのに…
コンサートチケット
席番：

第69話
時《じ》効《こう》

新聞社やテレビ局を連《れん》続《ぞく》爆《ばく》破《は》し、
数十人の命《いのち》を奪《うば》った事件が、
時《じ》効《こう》を迎《むか》えようとしていた。
犯人は、犯行後、
「情《じょう》報《ほう》操《そう》作《さ》によって国民を洗《せん》脳《のう》するマスコミと、
マスコミの情報を、ただうのみにするだけの大《たい》衆《しゅう》に、
天《てん》罰《ばつ》を与《あた》えてやったのだ」
という犯《はん》行《こう》声《せい》明《めい》を出していた。
時効の1年前から、マスコミ各社は、
毎月、時効へのカウントダウンを続け、
時効の1日前には、全マスコミが協《きょう》調《ちょう》して、
明日が時効であること、そして、
犯人を特定するための情《じょう》報《ほう》提《てい》供《きょう》を叫《さけ》び続けた。
しかし、結局、時効の日を迎《むか》えてしまった――。

時効《じこう》から1ヵ月ほど経《た》ったある日。
一人の男が記者会見を開き、自分が犯人であると告白《こくはく》した。
その告白内容は、犯人しか知りえない情報を含《ふく》んでいて、
彼が犯人であることは間違いないと思われた。
そして、記者会見後——。
男は、警察《けいさつ》によって、緊急逮捕《きんきゅうたいほ》された。
男は怒《いか》りのあまり、警察に食ってかかった。
「もう時効だろう！　逮捕などできないはずだ！」
一人の刑事が冷静《れいせい》に言った。
「あの時効報道、すべてウソなんだ。
お前の犯した罪《つみ》の時効は、1年後だよ。
マスコミが、口裏《くちうら》を合わせて虚偽報道《きょぎほうどう》をしたんだ」
そのマスコミの虚偽報道には非難《ひなん》もあったが、
多くの国民は、犯人に、冷笑《れいしょう》する言葉を投げつけた。
「マスコミの情報を、うのみにする大衆《たいしゅう》って、
お前がいちばん、うのみにして洗脳《せんのう》されてるだろ！」

※現在、最高刑が「死刑」になる犯罪の時効は撤廃されています。

第70話

鳴らないチャイム

一人の強面《こわもて》の男が、ファミレスで席に案内された。
メニューをしばらく見たあと、
男は、店員を呼《よ》ぶためのチャイムを押《お》した。
しかし、数分待っても店員は現れない。
男は、再度チャイムを押したが、
やはり店員はオーダーを取りにこない。
そういえば、チャイムを押しても、
「ピンポーン」という音が鳴《な》り響《ひび》かない。
機械《きかい》が故障《こしょう》しているのだろうか。
しかし、あとに席に着いた客には、
素早《すばや》く対応し、笑顔で注文を取っている。
その光景を見た瞬間《しゅんかん》、男の怒《いか》りは沸点《ふってん》に達した。

無視《むし》され、
馬鹿《ばか》にされたように感じた男は、
店員が脇《わき》を通り過ぎようとした瞬間《しゅんかん》、
すくっと立ち上がり、
顔を真っ赤にして
店員をにらみつけながら、
怒鳴《どな》るような大声で言った。
「ピンポーン！」

第71話

新しい兵器

兵器《へいき》開発《かいはつ》を競《きそ》うライバル国が、
新型《しんがた》の兵器を開発したとの
情報を入手した。
それは、クルマ型の兵器であるらしく、
優秀《ゆうしゅう》な自国のスパイは、
その搬送日《はんそうび》、
搬送ルートまでつかんでいた。
搬送日当日――。
厳重《げんじゅう》な警備体制《けいびたいせい》の中、
新型兵器は搬送された。
しかし、予想を上回る
奇想天外《きそうてんがい》な方法で、
新兵器《しんへいき》強奪計画《ごうだつけいかく》は遂行《すいこう》された。

奪《うば》い去《さ》られた荷台《にだい》のクルマと、
それを運ぶ大型ヘリコプターを見上げて、
ライバル国の兵器の開発者は言った。
「ここで、最終テストを兼《か》ねて、
新兵器の性能を披露《ひろう》いたしましょう！」
そして、パソコンに、
コードを打ち込み、指示をだす。
すると、それまで新型兵器を運んでいた
——と思われていたトラックが、
あっという間に、
ロボットにフォルムチェンジし、
空に浮《う》き上がり、
ヘリコプターを追尾《ついび》し、
ミサイルを発射《はっしゃ》した。
ヘリコプターは、あえなく撃墜《げきつい》された。
わずか、数十秒の出来事であった。

第72話

新作

女性画家の個展《こてん》で、
その画家の新作絵画が飾《かざ》られ、売られていた。
自画像《じがぞう》を抽象的《ちゅうしょうてき》な表現で描《えが》くのが、
彼女の作品の特徴《とくちょう》であった。
難解《なんかい》な表現が多かったが、熱狂的《ねっきょうてき》なファンも多く、
絵には高値《たかね》がつけられることもあった。
その個展に1枚だけ、
ほかとは毛色《けいろ》の違う作品が飾ってあった。
とあるファンが、その絵を見ていると、
画家本人がやってきて、説明した。
「それは、私の娘の絵なんです」
ほとんど自画像しか描かない画家が、
「自分の娘」の絵を描くなんて、滅多《めった》にないことだ。
ファンは、即決《そっけつ》し、その絵を購入《こうにゅう》した。

画家は、娘《むすめ》が生まれ、成長してから、
画家としての自分の心境《しんきょう》も大きく変わったことを
嬉《うれ》しそうにファンに説明した。
そして、感謝《かんしゃ》の言葉を述《の》べた。
「私の絵だけでなく、私の娘が描いた、
拙《つたな》い絵まで買ってくださって、
有難《ありがと》うございます。
昔までは、こんな拙《つたな》い絵を
ギャラリーに飾《かざ》るなんて、
絶対に考えられなかったけど、
こういうのを、
親バカっていうんでしょうかね」

第73話

カサンドラの予知

恋多き神であるアポロンが、
人間界の女性――
トロイ国の王女カサンドラに恋をした。
しかし、カサンドラが、
アポロンの求愛《きゅうあい》に応じることはなかった。
そこでアポロンは、カサンドラに、
特別な贈《おく》り物《もの》をし、彼女の気を引こうとした、
それは、未来を視《み》る力――予知《よち》能力《のうりょく》である。

喜んだカサンドラは、
さっそくその能力を試《ため》してみた。
アポロンの授《さず》けてくれた能力は本物だった。
そして彼女は——アポロンに別れを告《つ》げた。
彼女が視《み》た未来は、
「自分とアポロンの関係」の未来だった。
その未来では、恋多きアポロンは、
カサンドラとの恋愛に飽《あ》きて、
ほかの女性に心変わりしていたのだ。

第74話

アポロンの復讐《ふくしゅう》

「予知能力《よちのうりょく》」を授《さず》けたにもかかわらず、
裏切《うらぎ》り、自分の元を去ったカサンドラを、
アポロンは許《ゆる》さなかった。
そして、カサンドラに呪《のろ》いをかけた。
それは、
「カサンドラの言うことを誰も信じなくなる」
という呪いである。
その後に起こったトロイ戦争で、
ギリシア軍がトロイの城壁《じょうへき》の前に木馬《もくば》を置いて、
堅固《けんご》な城壁を突破《とっぱ》しようとしていることも
カサンドラは予知《よち》していた。
しかし、その予言《よげん》を誰も信じることはなく、
結局、トロイ国は
ギリシアに滅《ほろ》ぼされることになる。

トロイ国がギリシアに滅《ほろ》ぼされる様子を、
カサンドラは冷たい表情で眺《なが》めていた。
実は、ギリシアと内通《ないつう》し、命《いのち》の保証と引《ひ》き換《か》えに
「木馬」の作戦を授《さず》けたのもカサンドラであった。
カサンドラには、木馬の作戦がばれない自信があった。
なぜなら、「自分の予言を聞いた者」は、
その予言を信じられなくなるからだ。
「人に信じてもらえない」という呪《のろ》いは、
裏《うら》を返して利用すれば、強力な武器《ぶき》になる。
王女でありながら、彼女がギリシアに内通したのは、
トロイは滅《ほろ》び、自分は殺されるという
ビジョンが視《み》えたからである。

神話は、カサンドラが殺されたことを伝えている。
しかし、未来を視《み》ることができたカサンドラが、
本当に殺されたのかどうかを、誰も知らない。

第75話

アポロンの神殿《しんでん》

古代、ギリシアのアポロン神殿《しんでん》は、
世界の中心であった。
神殿の巫女《みこ》を通して語られる
神の言葉（神託《しんたく》）は、
絶対に従《したが》わなくてはいけないもので、
政治も戦争も、
すべてこの神託にもとづいて行われた。
このアポロン神殿の入り口に掲《かか》げられていたのが、
「汝《なんじ》自身を知れ（自分自身を知れ）」
という言葉である。
この言葉から、人間による、
人間自身の探求《たんきゅう》がはじまり、「哲学《てつがく》」が興《おこ》ったともいう。
そして、人間は、「深く考えることができる存在」へと
進化していくことになるのである。

神殿《しんでん》の奥《おく》で、ゴロゴロしていたアポロンは、イライラしていた。

――人間は、神である自分を、利用し裏切《うらぎ》るクセに、困《こま》ったときだけ、自分に助けを求めてやってくる。

また今日も、神殿の前に多くの人間が集まっていた。

「人間なんて、深く考えることができない、サル並《な》みの動物だから、そんな奴《やつ》らの相談に乗るなんてお断りだよ。

オリュンポス神族《しんぞく》ならいいけど、人間はダメ」

そして、神殿の入り口に、「人間は立ち入り禁止」ということを伝える掲示板《けいじばん》を出すことにした。

「自分自身の身分をわきまえて、人間はとっとと帰れ、って言いたいな。何かいい言葉はないかな」

そして、少し考えると、何かを思いついたように言った。

「そうだ。『汝《なんじ》自身を知れ』にしよう。

『お前、自分の立場を知ってる？　人間だよ？

人間は、ここ入っちゃダメでしょう』ってニュアンス…」

第76話

カンニング

その生徒には、
試験中にカンニングしているのではないか、
という悪い噂《うわさ》が、以前からあった。
協力者がいるだの、
ハイテク機器《きき》を使っているだの、
さまざまな憶測《おくそく》が乱《みだ》れ飛《と》んだ。
そこで学校側も対策《たいさく》を立てた。
もっともらしい理由をつけて、その生徒に、
一人だけ違う部屋で
試験を受けさせたのだ。
荷物も、身につけているものも調べた。
そして、試験中、教師がマンツーマンで
監視《かんし》にあたった。

その生徒は、テスト中、少し考えては
ガリガリとエンピツを走らせ、
また少し考えては、
ガリガリとエンピツを走らせる。
——何かがおかしい。
カンニングをしていない、
とは言い切れない。
しかし、監視《かんし》にあたった教師には、
そのカンニングの方法が、
まったくわからなかった。

第77話

一生に一度の買い物

マイホームを建《た》てるにあたって、
2社にプレゼンをさせ、
建築業者を選ぶことにした。設計や品質の面では、
両社が提示《ていじ》してきた内容にほとんど差はなかったが、
2つの点において、両社には大きな違いがあった。
1つは金額《きんがく》である。N社の見積《みつ》もりは、
S社よりも500万円ほど高かった。
もう1つは、情熱である。N社の営業マンが、
マイホームの建築を請《う》け負《お》うことの夢《ゆめ》を、
熱く語ってくれたのに対して、
S社の営業マンは、事務的な説明をするだけであった。
私は、迷わずN社を選んだ。
マイホームは一生に一度の大きな買い物である。
お金ではなく、情熱のほうが大事だと思ったのだ。

お客様から、「わが家の建築は、N社さんに任せるよ」
という電話を受けた、N社の営業マンは、
素直《すなお》に嬉《うれ》しいと思った。
「俺のプレゼン技術も、だいぶ進化したなぁ。
S社の営業マンも、もっと腕《うで》があれば、
結果は違っただろうに」
そして、急いでS社の営業マンに電話をした。
「先日は、どうも。
ひとつ、S社さんにお願いがあるんですけど、
あの物件の建築、S社さんがやっていただけませんか？
だって、うちより500万安くできるんですよね？
うちの会社が建《た》てていることにして、
実際は、S社さんが建築を請《う》け負《お》う。
S社さんは、見積《みつ》もり通りの金額をもらえるし、
うちも、何もしないでも500万円入るから、
両社とも得しますよね？」

第78話

恋の病《やまい》

「胸が苦しくて、夜も眠れないんです。
…原因《げんいん》はわかっているんです」
僕は、女性医師の目を見て続けた。
「恋の病《やまい》なんです。
先生を好きになってしまったんです」
僕が冗談《じょうだん》で言っているのではないことは、
胸《むね》にあてた聴診器《ちょうしんき》の鼓動《こどう》から
伝わっているはずだ。
しかし、医師の表情からは、
反応《はんのう》を読み取ることはできない。
数秒の沈黙《ちんもく》ののち、
聴診器を外した女性医師が、
突然《とつぜん》、僕の手をつかんだ。

僕は、緊張《きんちょう》のあまり、
身をこわばらせた。
女性医師は、白く長い指を、
僕の手首にあてると、
さらに十数秒の沈黙《ちんもく》ののち、
不思議《ふしぎ》そうに首をかしげて言った。
「なんでだろう、脈《みゃく》がありませんね」

第79話
営業の達人

会社に戻《もど》るのが嫌《いや》でしかたなかった。
今日、営業先に商品を売り込むことができず、
まったく受注《じゅちゅう》が取れなかったからだ。
熱血上司に怒《おこ》られるのは、目に見えている。
その上司が嫌《きら》いだったから、なおさら苦痛《くつう》だ。
予想通り、上司は、僕を怒鳴《どな》りつけた。
「商品が売れないのは、熱意とアイデアが
足りないだけだ！　たとえば、キミは、
北極圏《ほっきょくけん》で、イグルーで暮《く》らす
イヌイットの人々に、
冷蔵庫《れいぞうこ》を売ることができるか？」
極寒《ごっかん》の地で暮らすイヌイットに、
冷蔵庫など売れるはずがない。
僕は、「できません」と正直に答えた。

上司は、フンと鼻を鳴らすと、
見下すような表情で言った。
「できない？　要《よう》はアイデアがないだけだろ？
キミは、寒冷地《かんれいち》に住む人々には、
冷やすための冷蔵庫《れいぞうこ》なんて必要ない、
と思っただろ？　逆なんだよ。
冷蔵庫を、『モノが凍《こお》ってしまわないための機械』
として売るんだよ！」
僕は、小さなタメ息をついた。
僕がこの上司を嫌《きら》いなのは、こういうところだ。
……頭だけで考えたり、
本で読んだだけのことを鵜呑《うの》みにして、
自分で実際にやってみたこともないくせに、
偉《えら》そうに説教するところだ。僕は言った。
「イヌイットの人たちのイグルーには、
冷蔵庫を動かすための電気が通っているんでしょうか？」

それに、ふつうの住居なら、アイデアも何も、すでに多くのイヌイットの人々が、冷蔵庫を使っていますよ。
そのイヌイットの人たちに、さらにもう1台、冷蔵庫を買ってもらうアイデアって、どういうものなんですか？

第80話

玉手箱《たまてばこ》の正体

浦島太郎《うらしまたろう》が、乙姫《おとひめ》からもらった
玉手箱《たまてばこ》を開けると、
中から白い煙《けむり》がでてきて、
浦島太郎を覆《おお》った。
煙が晴れてみると、浦島太郎の姿《すがた》は、
白髪《はくはつ》の老人《ろうじん》になっていた。
はじめ浦島太郎は、乙姫を恨《うら》んだ。
しかし、ボロボロになった衣服を見て、思い直した。
「本当は、自分の体は、時の経過《けいか》によって、
この衣服のように朽《く》ち果《は》てていたに違いない。
でも、この煙が、それを防《ふせ》いでくれたんだ…」
そして太郎は、乙姫との日々を思い出し、
むせび泣いた。

月に帰るかぐや姫《ひめ》が、求婚《きゅうこん》してきた帝《みかど》に別れを告《つ》げた。

「私は月に帰らなくてはいけません。

その代わり、貴男《あなた》には、これを贈《おく》りましょう」

それは不老不死《ふろうふし》の薬と別れの手紙であった。

月に帰ったかぐや姫を思いながら、帝はつぶやいた。

「貴女《あなた》がいない世で、不老不死など意味があるものか」

そして、日本で一番高い山の頂上《ちょうじょう》で、それらを焼《や》いた。

それ以来、その山は、「不死《ふじ》の山」と呼《よ》ばれる。

さて、不老不死の薬を焼いた帝の臣下《しんか》の一人は、

そのことをもったいなく考えた。薬を焼いて立ちのぼる

煙《けむり》に効果があるかわからなかったが、

持っていた箱に、その煙をとじこめた。

しばらく大切に保管していたが、

船旅《ふなたび》をしていたとき嵐に遭《あ》った臣下の者は、大切な箱と、

「乙《おと》」と名づけた一人娘を海に連れさらわれてしまったという。

浦島太郎《うらしまたろう》が竜宮城《りゅうぐうじょう》に行く、100年前の出来事である。

第81話
境《きょう》界《かい》線《せん》戦《せん》争《そう》

隣家《りんか》との境界《きょうかい》に立てられた塀《へい》を越《こ》えて、
隣《となり》の柿《かき》の木がわが家の敷地《しきち》を領空侵犯《りょうくうしんぱん》していた。
わが家の領空にあるものは、わが家のもの。
俺は、美味《おい》しそうに熟《じゅく》した柿をもいで食べた。
――それが、隣家の男との争いのきっかけである。
お互《たが》い罵倒《ばとう》しあい、裁判《さいばん》も辞《じ》さない構えだったが、
正々堂々《せいせいどうどう》と肉体言語《にくたいげんご》で決着をつけることにした。
お互い、尻《しり》を交互《こうご》に蹴飛《けと》ばし、
先に「参《まい》った」と言ったほうが負け、
というルールである。
まず先に、相手が、俺の尻を強烈《きょうれつ》に蹴飛ばした。
俺は、あまりの痛さに悲鳴《ひめい》を上げそうになったが、
なんとか耐《た》え抜《ぬ》いた。
今度は、俺が攻撃《こうげき》するターンである。

俺は、学生時代に空手を習っていたから、
相手が俺の蹴《け》りに耐《た》えられるとは思えない。
全身の力をこめて尻《しり》を蹴飛《けと》ばそうと思った瞬間《しゅんかん》——
隣家《りんか》の男が言った。
「参った！」
隣家の男は、薄《うす》ら笑いを浮《う》かべながら言った。
「よくよく考えてみたら、
お宅《たく》の敷地《しきち》にはみ出していたんだから、
その実を食べられても、
文句《もんく》を言える立場じゃない。
文句を言った私が間違っていた。申し訳ない」
そして、足早《あしばや》に家の中に戻《もど》っていった。
俺は、本当に勝ったのだろうか。
まだズキズキと痛む尻をさすりながら、
俺は、そう思った。

第82話
割《わ》れた花瓶《かびん》の謎《なぞ》

怒号《どごう》と花瓶《かびん》が割れるような音が、
同時にパーティ会場に響《ひび》いた。
広間の中央には、腰《こし》を抜かした男と、立《た》ち尽《つ》くす男、
そして、バラバラに砕《くだ》け散《ち》った壺《つぼ》の破片《はへん》。
使用人が、すばやく壺の破片を片付ける。
事件は、腰を抜かした男が、パーティの主催者《しゅさいしゃ》である
富豪《ふごう》を罵倒《ばとう》したことで起こった。
――数十分前、酒に酔《よ》った男が、富豪にからんでいた。
「あんたは、貧乏人《びんぼうにん》から金を巻き上げる泥棒《どろぼう》だ！
この家に飾《かざ》ってある美術品も、
その高価そうな壺だって、全部、他人から盗《ぬす》んだんだ！」
それを聞いた、富豪が思わずかっとなって、
「高価そうな壺」を振《ふ》り上げ、
酔った男の頭に、叩《たた》きつけたのである。

酔《よ》った男が後《あと》ずさってつまづいたことで、壺《つぼ》は、男の頭ではなく、床《ゆか》に当たって、粉々《こなごな》に砕《くだ》け散《ち》った。富豪《ふごう》は、自分が癇癪《かんしゃく》を起こしたことを深く詫《わ》びた。すっかり酔いのさめた男も、自分の暴言《ぼうげん》を反省《はんせい》した。

パーティが終わったあと、富豪は後悔《こうかい》した。あの男が、自分のことを泥棒呼《どろぼうよ》ばわりしたのはたとえ話であって、本当に泥棒だと思ったわけでは——自分の正体に気づいたわけではなかったのだ。うっかり飾ったままにしてしまっていた盗品《とうひん》の壺を指さして、「盗《ぬす》んだものだ」などと言うから、急いで証拠隠滅《しょうこいんめつ》のために、壺を叩《たた》き割《わ》ってしまった。今度、あの男の家から、壺と同額の宝石でも盗んでやらないと気がすまない。

第83話
容疑者《ようぎしゃ》ワイの平身《へいしん》

ワイは、同じアパートの隣室《りんしつ》に住む母娘《おやこ》のために、
殺人という罪《つみ》を犯《おか》した。
2人につきまとい暴力《ぼうりょく》を振《ふ》るう元《もと》亭主《ていしゅ》を
制止《せいし》しようとして、誤《あやま》って殺してしまったのだ。
ワイは捕《つか》まった。しかし、それでもよかった。
ワイは、孤独《こどく》な人間だったからだ。
ワイには、失うものなど何もない。
ただ、隣《となり》に住む母娘の笑顔だけが、
ワイのささやかな幸せだった。
ワイは、知らないうちに、彼女を愛していたのだ。
しかし、その想いは胸《むね》に秘《ひ》めた。
ワイが裁判《さいばん》で有罪判決《ゆうざいはんけつ》を受けた日、
傍聴席《ぼうちょうせき》にいた母親が叫《さけ》んだ。

十数年後――
ワイは、刑務所《けいむしょ》を出所した。出所したその足で、母娘《ははこ》が住むアパートに向かった。
あのときは伝えることができなかった言葉を、伝えたかったのだ。
あれから十数年たった今でも、
ワイの、彼女への愛は変わっていなかった。
2人は、約束通り、
ワイが出所するのを待っていてくれた。
娘《むすめ》は、経過《けいか》した年月の分、成長していたが、
母親は、十数年前と変わらず、美しかった。
ワイは、母親に向かって言った。
「お母さん、お願いします！
ワイは、お嬢《じょう》さんを愛してしまいました。
どうか、お嬢さんと結婚させてください！」
そして、土下座《どげざ》をせんばかりに、深々《ふかぶか》と頭を下げた。

第84話

自由への逃走《とうそう》

私は、海岸から10キロの沖合《おきあい》に浮《う》かぶ、
監獄島《かんごくじま》に収監《しゅうかん》されている。
この監獄島には、独裁政権《どくさいせいけん》に異論《いろん》を唱《とな》える、
私のような人間が、無実《むじつ》の罪《つみ》で収監《しゅうかん》されているのだ。
「愚《おろ》かな大衆《たいしゅう》は、愚かというだけで罪なんだ！」
看守《かんしゅ》が、厳《きび》しい言葉を吐《は》き散《ち》らす。
監獄島の周囲は激しい海流《かいりゅう》が渦巻《うずま》き、
また人食い鮫《ざめ》も棲息《せいそく》している。
ここから脱出《だっしゅつ》するためには、
対岸まで泳いで渡《わた》るしかないのだが、
まだそれに成功した人間はいない。
しかし、ある日私は、体一つで、海に飛び込み、
対岸に向かって泳ぎはじめた。
この手で、自由をつかみ取るために！

監獄島《かんごくじま》から対岸までの距離《きょり》は、およそ10キロ。
特に、最初の5キロは、
渦巻《うずま》きも発生するほど海流が激《はげ》しい場所である。
私は、その5キロを、なんとか泳ぎ切った。
しかし、そこで体力をほぼ使い切ってしまった。
残念だが、今回のチャレンジはここまでだ。
私は、泳いできたルートを、
ふたたび泳いで戻《もど》ることにした。
体力をつけて、次こそ脱出《だっしゅつ》してみせる！
この手で、自由をつかみ取るために！

第85話

無情な声

僕は、ランプから現れた魔神《まじん》に言った。
「あいつを…僕の父親を、この世から消してくれ！」

数年前まで、父と母、そして僕の親子３人は、
仲睦《なかむつ》まじい家族だった。
しかし、ある時から、父親が酒を飲み、
家族に暴力《ぼうりょく》を振《ふ》るうようになったのだ。
父親とは対照的に、父の弟である叔父《おじ》さんは、
僕らに優しく、父の暴力から僕らを守ってくれた。
母は、むしろ叔父さんと結婚すればよかった。
父親が、２人の幸せの邪魔《じゃま》をしているように見えた。
あるとき、父親がまた、母親に暴力を振るった。
僕は、呼び出した魔神に向かって、
大きな声で願いごとを叫《さけ》んだ。

しかし、僕の願いは聞き届けられることはなかった。
父親は、いまだ元気で、今もお酒を飲んでいる。
僕は、ふたたび魔神《まじん》を呼び出して言った。
「約束が違うじゃないか！」
魔神の表情はうかがい知ることはできない。
しかし、おそらく無表情で――
そんなことを想像させる声色で、僕に告《つ》げた。
「約束は、きちんと守らせていただいていますよ」
魔神が消えたのと同じタイミングで、家の電話が鳴る。
電話を受けた母親は、
相手の話を聞いて失神《しっしん》した。
代わりに、僕が用件を聞いた。
叔父《おじ》さんが運転するクルマが、
トラックと正面衝突《しょうめんしょうとつ》し、
叔父さんが亡《な》くなったと、電話口の向こうで、
警察官が無情な声で僕に告《つ》げた。
父親の死を願ったのに、なぜ叔父さんが死んだのだろう……。

第86話

なりたいもの

ランプから現れた魔神《まじん》が言った。
「あなたがなりたいものにして進ぜましょう!」
それを聞いた絶世《ぜっせい》の美人が不満《ふまん》げに聞いた。
「なりたいもの?
願いごとを何でも叶《かな》えてくれるんじゃないの?」
「最近、『誰それを殺して』みたいな願いごとをする人間が
増えましてねぇ。そのクセ、あとから文句をつけてくる。
私どもも、願いを叶えて恨《うら》まれたんじゃ
割《わり》に合わないですから、『なりたいもの』限定です」
美女は、自分の人生を振《ふ》り返《かえ》った。自分は小さな頃から、
美しい容姿《ようし》を武器《ぶき》に、なりたいものになってきた。
トップモデル、人気女優、社長夫人…。
ただ、結婚した会社社長が予想外に
ケチだったことだけ、計算違いではあったが…。

美女は、さらに少しだけ考えて、
自分が何になりたいか決めた。

そして、魔神《まじん》に向かって言った。

「決めたわ。私、未亡人《みぼうじん》になりたいわ」

魔神は、その願いを否定《ひてい》することもなく、
むしろ嬉《うれ》しそうに微笑《ほほえ》むと、

「了解しました」

という言葉を残し、消えていった。

第87話

クールなスパイ

私は、これまで数多くの企業から、
機密《きみつ》情報《じょうほう》を盗《ぬす》んできた腕利《うでき》きのスパイである。
今日もクライアントに、
ライバル企業の機密情報を盗むことを
依頼されている。
情報《じょうほう》管理室《かんりしつ》にたどり着くまでに
突破《とっぱ》しなければいけないトビラは10箇所《かしょ》。
そのいずれにも、高度な顔認証《かおにんしょう》システムが組み込まれている。
私ほどの有名なスパイは、「最重要警戒人物《さいじゅうようけいかいじんぶつ》」として、
顔写真がデータベースに組み込まれているらしい。
しかし、私の変装術《へんそうじゅつ》の前には、
そんな顔認証システムなど、オモチャも同然である。
私は、9つのトビラを軽々と突破し、
最後のトビラの前に立った。

不審《ふしん》な男が、ひとつめのトビラの前に立ったとき、警備室《けいびしつ》は緊張《きんちょう》に包《つつ》まれた。しかし、次の瞬間《しゅんかん》、警備室は爆笑《ばくしょう》の渦《うず》に巻き込まれた。

端正《たんせい》な顔をした男が、モニターに向かって、「変顔」をしたのである。

「変顔」などで、顔認証《かおにんしょう》を突破《とっぱ》できるわけがない。

しかし、警備員たちは、呼吸《こきゅう》するのが困難《こんなん》なほど笑《わら》い転《ころ》げながら言った。

「もうちょっと……もう1回、この男…の変顔が…クククク…見たい…何、これ…」

「すごい…ヒヒヒ…ちょっと笑いが止まらない…なんか、すごい気取《きど》ってるし…」

「腹《はら》が痛い…腹がよじれる…もっと見よう…最後のトビラまで……泳がせて…ククク…みよう。こいつの変顔、最高だよ…」

そして、9枚のトビラは開かれたのであった。

第88話
札束《さつたば》

男は、魔神《まじん》の前に、大きなスーツケースを置いて言った。

「このスーツケースいっぱいになるくらいの札束《さつたば》を出してくれ」

そして、財布《さいふ》の中から、1枚の紙幣《しへい》を取り出した。

それは、何種類もある紙幣の中で、もっとも高額《こうがく》な紙幣であった。

「ただし、紙幣というのは、こいつのことだぞ。少額の紙幣なんかを出されたら、たまらないからな。この紙幣と同じもので、スーツケースを満たしてくれ！」

魔神が消えたあと、スーツを開けると、そこにはぎっしりと札束が詰《つ》まっていた。

それは、男が見せた高額紙幣とまったく同じ本物の紙幣であった。

――これだけのお金があれば、何でも買える。
男はまず、高級車を買うことにした。
そして、気に入ったクルマを選ぶと、
スーツケースの中から無造作《むぞうさ》に札束《さつたば》をつかみ、
ディーラーに渡した。
「では、お引き渡しの準備をしますので、
少々お待ち下さい」
そう言ってディーラーが立ち去ってから10分後、
男の前に現れたのは警察官だった。
男は、「紙幣《しへい》を偽造《ぎぞう》した罪《つみ》」で逮捕《たいほ》された。
警察官は、不思議《ふしぎ》そうに言った。
「この紙幣、本物と何一つ変わらない完成度で、
1枚だけ見たんじゃ、
絶対に偽物《にせもの》とわからなかった。
こんな精巧《せいこう》な偽造《ぎぞう》の技術があるのに、
なぜ、紙幣の番号を全部同じにしたんだ？
それじゃ、どう考えてもバレるだろ？」

第89話
遺産《いさん》

死んだ父親が、俺のために遺産《いさん》を残してくれたと、遺産を管理している弁護士《べんごし》が言った。

しかし、その遺産は簡単には手に入らないように、箱に入れて、ある場所に埋《う》められているという。

今、俺が手にしているのは、その隠し場所を記《しる》した地図である。

地図の暗号はすぐに解けた。

さっそくその場所を掘《ほ》り起こすと、箱は、すぐに見つけることができた。

フタを開けると、中には、1通の手紙が入っている。

手紙には、こう書かれていた。

お前は、何事にも
飽《あ》きっぽいのが欠点だ。
あきらめることなく、
信じた道を進み続ければ、
きっと大きな財産を
手にすることができるだろう。
これが、父親として、
私がお前に残す、最後の言葉だ。

父親が残してくれたメッセージは、
俺の心に何も響《ひび》かなかった。
そんなこと、最後に改《あらた》めて言われるまでもなく、
常日頃《つねひごろ》から、しつこく言われ続けていたからだ。
俺は手紙をちぎり、掘《ほ》った穴《あな》に投げつけた。

その様子を、物陰《ものかげ》からそっと見ていたのは
遺産《いさん》を管理していた弁護士《べんごし》であった。
彼は、残念そうにつぶやいた。
「最後のメッセージは、ご子息《しそく》には届きませんでした…」
父親の手紙を埋《う》めたのは、弁護士だった。
彼は、その手紙を入れた箱と同じ場所――
ただし、もっと深い場所に
本物の遺産を箱に入れて埋めてもいた。
「ご子息が、あなたの最後のメッセージから
何かを感じとって、あきらめずに穴を掘り続ければ、
大きな財産を手にしていたのですが――」

第90話

それはそれ

立派なツノをたくわえた牡鹿《おじか》が、砂防《さぼう》ダムに落ちて
脱出《だっしゅつ》できなくなっているのが発見された。
なんとか助け出そうとしても、
鹿が大暴《おおあば》れしてうまくいかない。
麻酔銃《ますいじゅう》で眠《ねむ》らせて、という方法も検討《けんとう》されたが、
銃を撃《う》ち込《こ》むのは、動物にとってよいことではない。
時間が経過《けいか》するにつれ、鹿が弱っていくのがわかる。
人々は、知恵《ちえ》を出し合い、徹夜《てつや》で救助《きゅうじょ》にあたった。
結局、スロープを作って、
鹿を自力で脱出させる策《さく》がとられた。
鹿は、弱々しい足どりながらも、
スロープを駆《か》け上《あ》がり、
やがて山へと消えていった。

秋——。
その年は、早くから冬の足音が聞こえていた。
木の実などの実りが少なかったため、
数多くの鹿《しか》たちが、山から人里《ひとざと》に下りてきた。
そして、畑の農耕作物《のうこうさくもつ》や、木の皮を食べてしまう。
村人たちも、自分たちの生活を
守らなくてはいけない。
山林や田畑を荒《あ》らす害獣《がいじゅう》を、駆逐《くちく》するため、
今日も、麻酔銃《ますいじゅう》を手に取るしかなかった。

第91話

キャッチ・ミー

世界ではじめて蒸気機関車《じょうききかんしゃ》を製造《せいぞう》したのは、
イギリスのリチャード・トレビシックである。
彼は、自身が製造した最後の蒸気機関車に、
「キャッチ・ミー・フー・キャン」
（意味：私をつかまえてみろ）
という名前をつけた。

「私をつかまえてみろ」号は、
蒸気《じょうき》を上げて快走《かいそう》した。
そのスピードは、
最高時速で20キロ程度。
小学生が走るのと、
同じくらいの
スピードであったという。

第92話

プロ級の腕《うで》前《まえ》

今は、第一線を退《しりぞ》いた、元カリスマ経営者《けいえいしゃ》が、
インタビューに答えて言った。
「本当は、経営者になんかではなく、
テニスの選手になりたかったんだ。
父親の跡《あと》をつぐために、
テニスの道はあきらめたがね…」
その口調は、どこか寂《さみ》しげであった。
「ただ、経営の道に進んでも、
趣味《しゅみ》ではテニスを続けたぞ。
シングルスの試合で、
負けたことなんてなかったな。
プロの選手にだって、負けたことはなかった。
でも、体力の衰《おとろ》えかな、最近では、
ちっとも勝てなくなってしまったよ」

インタビュアーが聞いた。
「プロテニス選手の道を選ばれていたら、
テニス界の歴史は、
変わっていたかもしれませんね。
それと、ビジネス界も…。
なにせ、あなたが経営者《けいえいしゃ》だった頃、
誰もあなたに逆《さか》らうことなんてできず、
あなたは帝王《ていおう》として君臨《くんりん》していましたからね」
元カリスマ経営者は、嬉《うれ》しそうに微笑《ほほえ》んだ。
インタビュアーは続けて聞いた。
「ちなみに、テニスで勝てなくなったのは、
いつくらいからですか?」
元経営者は、思い出すように言った。
「そうだな、3年くらい前かな…。
そう、社長の座《ざ》を退《しりぞ》いて引退した頃《ころ》からだから、
ちょうど3年前くらいからだ」

第93話

次こそは…

父親とまだ幼《おさな》い息子が、
DVDでボクシング映画を観《み》ていた。
映画は、最後のクライマックスにさしかかり、
「主人公対ライバル」の戦いのゴングが鳴《な》る。
その時、急に、父親が映画の再生を止めて言った。
「主人公とライバルの対決、どちらが勝つと思う?
パパは、主人公が勝つと思う」
息子は、ちょっとひねくれた口調で言った。
「そんなのつまんないよ。
ぼくは、ライバルが勝つと思う」
結局、物語は、主人公がフラフラになりながらも
勝利をつかむ感動的な結末を迎《むか》えた。

予想対決に負けて悔《くや》しかったのか、
目に涙《なみだ》を浮《う》かべている息子を見て、
父親が申し訳なさそうに言った。
「ゴメン、ゴメン。パパ、実は、
この映画を前に観《み》たことがあるんだ。
だから、結末を知っているんだよ。
面白《おもしろ》かったから、お前にも見せたいと思ってさ…」
しかし、息子の表情は変わらない。
変わらないどころか、
目にためた涙をボロボロとこぼしながら言った。
「ぼくだって観てるよ!
ぼくなんか、もう9回も観てるよ。
でも、いつもライバルが負けているから、
こんどこそ勝ってほしいって思ってたのに、
いつも負けて、かわいそうだよ!!」

第94話

黙《もく》秘《ひ》権《けん》

オウムの入った鳥かごをもった男が、
バーで酒を飲み、酔《よ》っ払《ぱら》っていた。端《はた》からは、
ブツブツと一人ごとを言っているように見えたが、
男が会話をしていた相手はオウムだった。
さんざん酔っ払って会計の段《だん》になったとき、
男は、財《さい》布《ふ》を忘れたことに気づいた。
バーの店主が怒《いか》り、警察に通報しようとしたとき、
店の隅《すみ》で静かにお酒を飲んでいた老人が言った。
「その勘《かん》定《じょう》、私が持ちましょう。
その代《か》わり、あなたのオウムをいただきたい」
酔った男は考え込んだが、「警察に突《つ》き出《だ》す」
という店主の考えは、どうやら本気のようだ。
男は、黙《だま》って鳥かごを老人に渡す。
老人は、酒《さか》代《だい》の倍にあたる金額を男に支《し》払《はら》った。

すると、それまでカゴの中でに静かにしていたオウムが騒《さわ》ぎはじめた。

「コノ人デナシ！　親友ノ俺ヲ酒代《さかだい》の代ワリニ売リ飛バスノカ！　10年一緒ニイタ、コノ俺ヲ！　ココカラ出セ！　俺ヲ自由ニシロ！

俺ハ、カゴカラ出テイク！

モウ人間ナンテ信ジナイゾ！

モウ人間ナンカト、二度ト話スモンカ！

モウ人間トハ、絶対ニシャベルモンカ!!」

そして、オウムは、

それからしゃべることは二度となかった。

酔《よ》いがさめたのか、

男は悲しそうな顔をしていた。

しかし、その悲しみの理由が、

最近ではステージに呼《よ》ばれることもなく、こんな酒場でしか腹話術《ふくわじゅつ》の技を見せられないことにあるとは、男以外が知るよしもなかった。

第95話

優先権

クリスマスの夜——。夫婦と小学生の兄弟が、4つに分けられたケーキを囲《かこ》むように座《すわ》っていた。

丸いホールケーキを母親が4等分にしたのだが、乗っているデコレーションが違《ちが》ったり、大きさにもばらつきがある。

どちらに先に選ばせたらケンカにならないか、と考え、母親が言った。

「ママの言うことに、『ハイ！』って大きな声で返事して、言われたことを文句《もんく》を言わずにやったのはどっちかな？帰りに寄《よ》り道しないで、いつもまっすぐ帰ってくるのは、どっちかな～？」

すると、兄弟は、
口をそろえて文句を言った。
「そんなの、ずるいよ〜」
そして、母親ではなく、
父親に抗議《こうぎ》するように続けた。
「そんな条件をだされたら、
絶対にパパに勝てないよ。
パパ、大人なのに、ずるいよ。
そんなにケーキが食べたいなら、
自分で買えばいいじゃないか!」

第96話

ゾンビ

意識《いしき》を取《と》り戻《もど》し、周囲を見渡《みわた》すと、
破壊《はかい》されたクルマから煙《けむり》がのぼり、
町は荒廃《こうはい》していた。僕は思い出した。
正体不明のウィルスが蔓延《まんえん》し、
ゾンビ化した人間が、次々と人間を襲《おそ》い始めたことを。
ゾンビから逃《に》げている途中で、
意識を失ってしまっていたようだ。
意識を取り戻し、呆然《ぼうぜん》と立ち尽《つ》くす僕に、
凶暴《きょうぼう》な顔つきの人々が襲いかかってきた。
ある者は金属バットを振《ふ》り回し、
またある者は、猟銃《りょうじゅう》を乱射《らんしゃ》し、迫《せま》ってきたのだ。
僕は、ただ逃げ回ることしかできなかった。
物陰《ものかげ》に隠《かく》れながら、ようやく自分の住む部屋に
戻《もど》ることができたときには、外は闇《やみ》に包《つつ》まれていた。

落ち着いて自分の体を見回すと、体中に傷《きず》がある。
銃《じゅう》で撃《う》たれたり、刃物《はもの》で切りつけられたりしながら、
よく無事に戻《もど》ってこれたものだ。

――なにか違和感《いわかん》を覚えた。

ゾンビが、武器《ぶき》を使って、人間を襲《おそ》うのだろうか。

ふと、嫌《いや》な予感がし、洗面所に行って鏡をのぞき込むと、
そこには、まぎれもない一体のゾンビがいた。

僕を襲ってきたのは、凶暴《きょうぼう》な顔つきをしていたけれど、
人間だったのだ。
人間が、ゾンビを倒《たお》そうとして、
僕に襲いかかってきたのだ。

心は人間のまま、
体だけがゾンビ化してしまった者は、
この先、どのように生きたらよいのだろう。
僕は、不死身《ふじみ》の肉体を手に入れたのか、
それとも、死にたくても死ねない体に
なってしまったのだろうか――

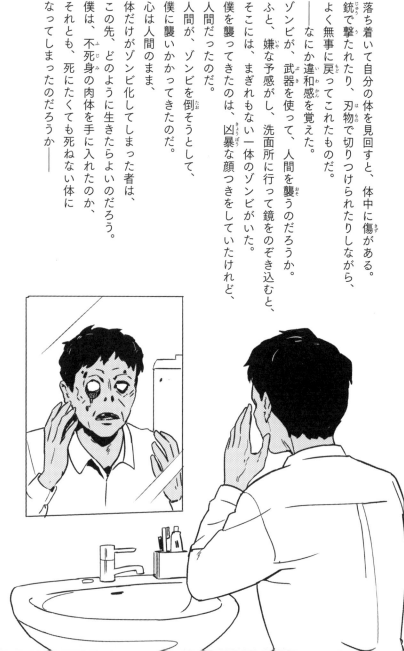

第97話

注文

あるお客がのれんをくぐり、空《あ》いた席に座《すわ》ると、
メニューを見ずに注文した。

「塩ラーメンをひとつ！」

それを聞いた店主《てんしゅ》が、すまなさそうに言った。

「お客さん、あいにく塩ラーメンはないんでさぁ」

「じゃあ、とんこつラーメンを」

「すいません、それもないんですよ」

「あ、そう。じゃ、味はなんでもいいよ。

チャーシューメンで」

「お客さん、あるものを注文してくれませんかね」

それを聞いた客は、やや立腹気味《りっぷくぎみ》に言った。

「何があるんだね、さっきから何を注文しても
『ない』ばかりじゃないか？」

「うちはソバ屋なんだから、ラーメンはねぇんだ！」

翌日《よくじつ》、同じ店に、またあのお客がやってきた。
そして、やはり注文した。
「しょうゆラーメンをひとつ！」
店主は、怒《いか》りを爆発《ばくはつ》させて言った。
「だから、うちはソバ屋で、
ラーメンなんか置いてねぇって言ったろ！
次また、ラーメンを注文したら、
口に接着剤《せっちゃくざい》を塗《ぬ》って、
二度と口が開かないようにするからな！」

さらにその翌日。また、あのお客はやってきた。

そして、いつものように注文する。

「接着剤をひとつ！」

「うちは文房具屋《ぶんぼうぐや》じゃねぇんだ。

ラーメンならまだしも、
そんなもの、置いているわけねぇだろ！」

それを聞くと、お客は、ほっとしたように言った。

「それじゃ、塩ラーメンをひとつ！」

第98話

手術

――目の前で震《ふる》えている少年は、30年前の自分だ。
執刀医《しっとうい》である私は、そう思った。
難病《なんびょう》を患《わずら》っている彼は、明日、手術に臨《のぞ》む。
手術をしないと、生命にかかわる病気なのだが、
手術の成功率は、ほぼ100%だと言われている。
彼の気持ちは痛いほどよくわかる。なぜなら、
私も、子どもの頃、同じ病気にかかっていたからだ。
「私も、キミと同じ病気にかかっていたんだ。
手術を怖《こわ》いと思う気持ちはよくわかる。
でも、私の手術をしてくれたお医者さんが
とても優秀で立派なお医者さんでね。
私は、その人に憧《あこが》れて、医者になったんだよ。
手術は絶対に成功する。私だって、こうして生きているだろう？
明日の手術、勇気を出して受けてくれるかい？」

少年は、私の目を真《ま》っ直《す》ぐに見て、
そして、力強く首を振《ふ》った――横に。
何度も何度も、力強くブルブルと横に振った。
「先生と僕は、同じじゃないよ！」
「そんなことはない。キミだって、
私と同じように勇気を出せるよ」
すると、少年は、
噛《か》みつくような調子で言った。
「勇気とか、そんな問題じゃないよ。
だって、先生のときは、
手術してくれたお医者さんは、
優秀で立派なお医者さんだったんだろ？
僕の場合は、違うじゃないか!!」

第99話

父と母の恋

母が亡《な》くなり、一人娘《ひとりむすめ》の私は、
父と一緒に暮らしている。
今、家の中には、ほとんど会話がない。
いかに母の存在が大きかったのかがわかる。
私は、前から不思議《ふしぎ》でしょうがなかった。
こんな無口《むくち》な父が、どうやって母と恋愛し、
プロポーズをしたのだろう、と。
母は、「恋人同士だったときのお父さんは、
とっても情熱的だったのよ」と言っていたが、
とてもそんなことは信じられなかった。
そんな生活が何年か続いた頃、
父が認知症《にんちしょう》を発症《はっしょう》した。

介護《かいご》は、とても大変なことだった。
記憶《きおく》が遡行《そこう》していく父の世話をすることは、
かつての父を知っているだけに、
切ない気持ちになることも多かった。
しかし、新しい発見もある。
今、父は、私を母と間違えているようだ。
そこには、私の知らなかった父がいた。

情熱的に恋を語る父の様子が、
私に、父と母の若かった頃の
恋を教えてくれた。
私は、切なくて、悲しくて、
そして、知らないのに懐《なつ》かしくて、
ボロボロと涙《なみだ》をこぼした。

第100話
イカロスの脱出《だっしゅつ》

ダイダロスとイカロス親子は、ミノス王の命《めい》を受け、
ミノタウロスを閉《と》じ込《こ》めるための
ラビリンス（迷宮《めいきゅう》）を造《つく》った。
しかし、その秘密がもれることを恐《おそ》れたミノス王は、
2人をラビリンスに幽閉《ゆうへい》する。
そこで親子は、人工の翼《つばさ》を作り、
空高く舞《ま》い上《あ》がり、ラビリンスを脱出《だっしゅつ》した。
しかし、父ダイダロスが注意したにもかかわらず、
空高く舞い上がったイカロスは、
太陽に近づき過ぎて、アポロンの怒《いか》りを買った。
人間が、自身の象徴《しょうちょう》である太陽に近づくことなど、
決して許《ゆる》せることではなかったのだ。
ロウでできた、イカロスの翼は溶《と》け、
海へ墜落《ついらく》し、彼は命《いのち》を失《うしな》った——。

「イカロスの最期《さいご》を各地で語り継《つ》いでいるのは、あんたかい、爺《じい》さん」
ミノス王の兵士たちが、噂《うわさ》の出所《でどころ》を追いかけた結果、
ようやく1人の老人にたどり着いた。
「爺さんは、何を根拠《こんきょ》に、
イカロスが死んだって触《ふ》れ回《まわ》っているんだ？
イカロスの死体は見つかってないんだぜ。
そんな噂《うわさ》を流す理由が、何かあるのか？」
そう言うやいなや、すばやく老人の衣服をはぎ取った。
あらわになった老人の右肩《みぎかた》には、大きな傷跡《きずあと》があった。
それは、かつて女神アテナが、
ダイダロスの右肩につけたものと同じである。
老人が住む小屋に向かおうとする兵士に
すがりつくようにして、老人が懇願《こんがん》した。
「あの子は、墜落《ついらく》したショックで、
記憶《きおく》を失《うしな》ったんじゃ。
何も覚えてなんかいない。
頼む。見逃《みのが》してくれ！」

エピローグ

その部屋には、
いくつもの首が並べられていた。
どの首も、生気《せいき》を失ったように見えるのは、
胴体《どうたい》から切り離《はな》されていることだけが
理由ではないだろう。

首が並《なら》べられた部屋の隣《となり》は、対照的《たいしょうてき》なほど、熱気と異臭《いしゅう》が立ちこめたカオス状態《じょうたい》の部屋だった。

皆《みな》が、思い思いに大声で話すため、小さな声では会話も成り立たない。

ある者が言った。

「俺の役、いちばん損《そん》なんじゃないのかな？この魔神《まじん》の着ぐるみ、けっこう重いし…」

「いやいやいや、『魔神』は、当たり役でしょ。出番も多いし、けっこう子ども達《たち》にも人気らしいですよ。

『鬼』なんて、重いだけで、人気もない。

あと、『ロボット医師』とかって言っておいて、アレも、中に入っているの私ですから。

そこは、特撮《とくさつ》でしょっ、て感じですよ」

「やっぱりリアルな人間の役がいいね。ラクそうだし…」

「ラクじゃないですって。
僕《ぼく》なんか、死体役ばっかりで、ほんとつらい。
『本の力』の死体役も僕ですけど、
実は、『大学寮《だいがくりょう》の怪《かい》』でも死体役をやったんですよ。
でも、本編《ほんぺん》を見たら、
カットされて白線に変えられていた」
「まだ出番があるだけ、いいじゃないですか。
こっちは、朝からずっと待機《たいき》しているのに、
全然、出番がこない…。
この宇宙人みたいなの、
本編で使われるのかな…」
「監督《かんとく》も厳《きび》しい人だしね。
読者に喜んでもらうために、
心を鬼にしてるんだね」
「いやいや、心だけなら、『鬼』なんてラクですって。
『鬼』の着ぐるみの中に入ってほしいなぁ、監督にも……」

- 桃戸ハル

『５分後に意外な結末』『５秒後に意外な結末』の執筆、編集など。
三度の飯より二度寝が好き。東京都出身。

- usi

静岡県出身。書籍の装画を中心にイラストレーターとして活動。
グラフィックデザインやwebデザインも行う。

5秒後に意外な結末　アポロンの黄色い太陽

2019年３月26日　第1刷発行
2022年10月17日　第7刷発行

編著	桃戸ハル
絵	usi
発行人	小方桂子
編集人	芳賀靖彦
企画・編集	目黒哲也
発行所	株式会社 Gakken
	〒141-8416 東京都品川区西五反田2-11-8
印刷所	中央精版印刷株式会社
DTP	株式会社 四国写研

● お客様へ
【この本に関する各種お問い合わせ先】
○ 本の内容については下記サイトのお問い合わせフォームよりお願いします。
https://gakken-plus.co.jp/contact/
○ 在庫については Tel03-6431-1197(販売部)
○ 不良品(落丁・乱丁)については Tel0570-000577
学研業務センター　〒354-0045 埼玉県入間郡三芳町上富279-1
○ 上記以外のお問い合わせは Tel0570-056-710(学研グループ総合案内)